#하루에_조금씩
#쑥쑥_크는
#어휘력 #사고력

똑똑한
하루 어휘

Chunjae
Makes
Chunjae

▼

[똑똑한 하루 어휘 맞춤법+받아쓰기] 2단계 A

편집개발	원명희, 박윤진
디자인총괄	김희정
표지디자인	윤순미, 안채리
내지디자인	박희춘, 이혜미
일러스트	김제도, 김수정, 김민주
제작	황성진, 조규영

발행일	2021년 12월 15일 초판 2021년 12월 15일 1쇄
발행인	(주)천재교육
주소	서울시 금천구 가산로9길 54
신고번호	제2001-000018호
고객센터	1577-0902

똑똑한
하루 어휘

맞춤법+받아쓰기

어떤 책인가요?

한글 기초 능력

한글 기초 능력을 키우는 교재
- 바르게 읽고 쓰는 능력 향상
- 소리와 글자의 관계를 이해하는 교재

맞춤법

원리를 이해하고 응용하는 교재
- 맞춤법 원리를 자연스럽게 이해
- 맞춤법 실력을 향상시키는 교재

어휘력

탄탄한 어휘 실력을 다지는 교재
- 바르고 정확한 어휘를 배우는 교재
- 뜻을 이해하고 문장에서 활용을 익히는 교재

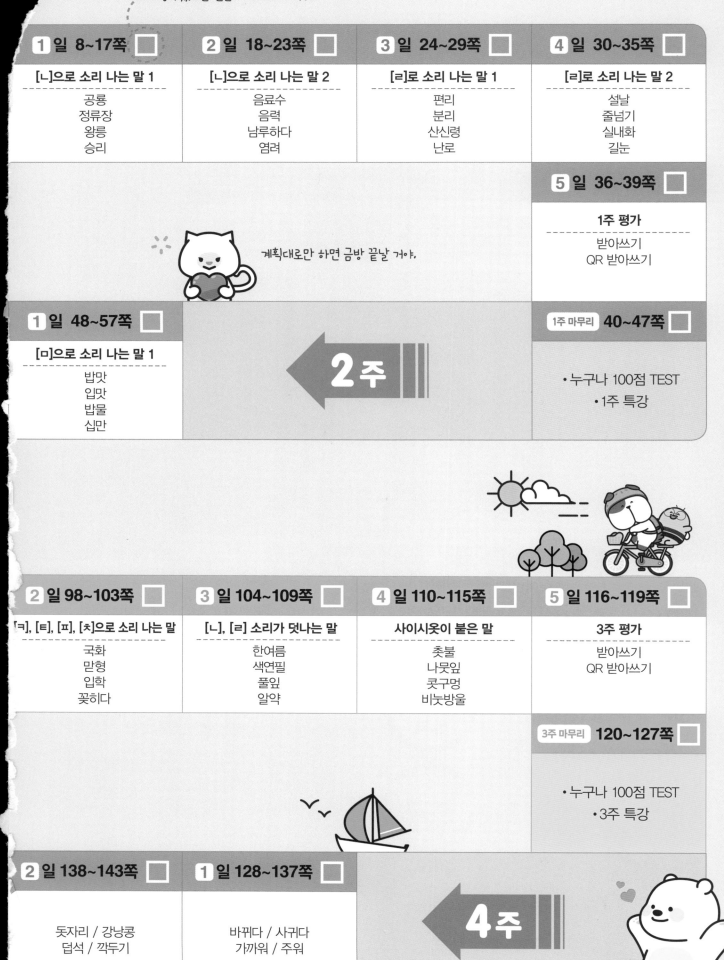

똑똑한 하루 어휘
-맞춤법+받아쓰기-

2단계 Ⓐ
스케줄표

1주

5 일 76~79쪽 ☐	**4 일 70~75쪽** ☐	**3 일 64~69쪽** ☐	**2 일 58~63쪽** ☐
2주 평가	**[이]으로 소리 나는 말 2**	**[이]으로 소리 나는 말 1**	**[미]으로 소리 나는 말 2**
받아쓰기 QR 받아쓰기	학년 막내 함박눈 작년	식물 박물관 국물 국민	앞문 앞마당 옆머리 앞말

2주 마무리 80~87쪽 ☐
• 누구나 100점 TEST • 2주 특강

틀린 문제는 다시 한 번 살펴볼까?

1 일 88~97쪽 ☐
[지], [치]으로 소리 나는 말
해돋이 턱받이 같이 붙이다

3주

4주 마무리 160~167쪽 ☐	**5 일 156~159쪽** ☐	**4 일 150~155쪽** ☐	**3 일 144~149쪽** ☐
• 누구나 100점 TEST • 4주 특강	**4주 평가** 받아쓰기 QR 받아쓰기	틈틈이 / 따뜻이 가만히 / 솔직히	알맞은 / 걸맞은 껍질째 / 통째로

똑똑한 하루 어휘

총 14권

한글

예비초등 A   예비초등 B

예비초등

*권장 대상: 5~7세 예비 초등
　　　　　한글을 배우는 아동

● 자음자, 모음자, 받침 등 한글 기초 교재
● 붙임 딱지를 붙이며 한글의 짜임을 이해
● 한글을 익히며 자연스럽게 어휘력 키우기

맞춤법 + 받아쓰기

1단계 A, B / 2권

2단계 A, B / 2권

1~2단계

*권장 대상: 초등 1학년 ~ 초등 2학년
　　　　　한글에 익숙한 예비 초등

● 어휘로 공부하는 받아쓰기 교재
● 소리와 글자가 다른 낱말 집중 학습
● QR을 이용한 실전 받아쓰기

3단계 A, B / 2권

4단계 A, B / 2권

3~4단계

*권장 대상: 초등 3학년 ~ 초등 4학년
　　　　　어휘력이 필요한 초등 2학년

● 마인드맵, 꼬리물기 어휘 학습
● 주제 어휘, 알쏭 어휘, 교과 어휘,
　한자 어휘 중심
● 어휘의 관계를 중심으로 말의 감각을
　키워 주는 어휘 전문 교재

5단계 A, B / 2권

6단계 A, B / 2권

5~6단계

*권장 대상: 초등 5학년 ~ 초등 6학년
　　　　　어휘력이 필요한 초등 4학년

● 해시태그(#) 유사 어휘 퀴즈 학습
● 생활 어휘, 교과 어휘, 한자 어휘 중심
● 속담, 관용어, 사자성어를 중심으로 어휘의
　폭을 넓혀 주는, 고학년 어휘 전문 교재

똑 똑 한

하루
어휘

맞춤법+받아쓰기

2
단계

A

1~2학년

120여 개의 어휘로 배우는 맞춤법+받아쓰기!

하루하루 공부할 차례

각 주별로 배우는 맞춤법과 받아쓰기 원리를 어휘 중심으로 정리했어요.
소리와 모양이 다른 말 쓰기부터 친구들이 가장 어려워하는 받침이 두 개인 말 쓰기까지
120여 개의 어휘로 공부해요!

맞춤법+받아쓰기, 이렇게 구성되어 있어요

맞춤법 원리를 정확하게 배우고 그림과 놀이를 통해 문장 안에서 낱말을 바르게 쓰는 활동을 해요. 한 주 동안 익힌 내용을 평가 문제와 받아쓰기로 확인하면 맞춤법과 받아쓰기를 똑똑하게 할 수 있어요! 또 마무리 특강의 재미있는 문제들로 **사고력과 논리력도 쑥쑥!**

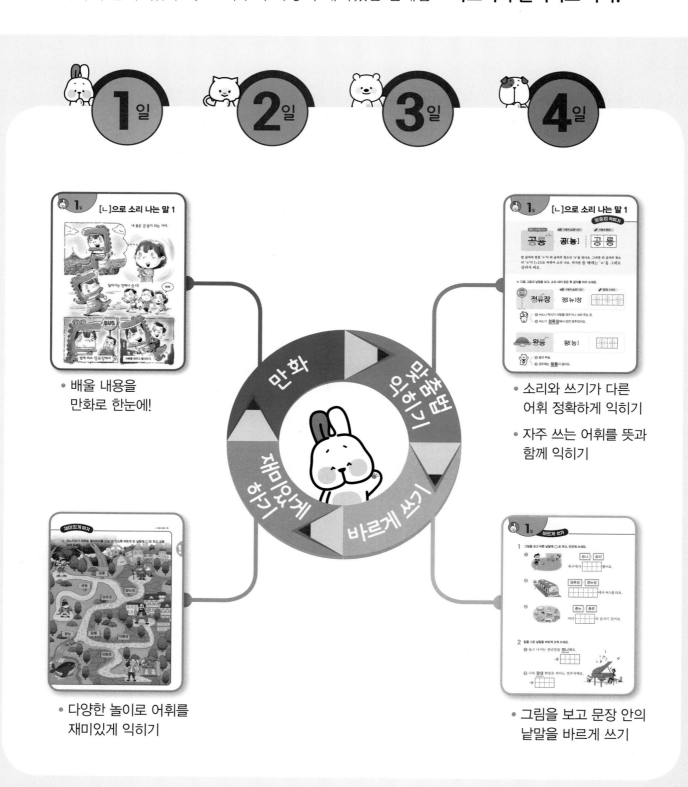

1일 · 배울 내용을 만화로 한눈에!

2일 · 소리와 쓰기가 다른 어휘 정확하게 익히기
· 자주 쓰는 어휘를 뜻과 함께 익히기

3일 · 다양한 놀이로 어휘를 재미있게 익히기

4일 · 그림을 보고 문장 안의 낱말을 바르게 쓰기

만화 · 또 맞춤법 · 바르게 쓰기 · 재미있게 하기

맞춤법+받아쓰기, 시작해 볼까요?

똑똑한 하루 어휘 〈맞춤법+받아쓰기〉는 하루에 여섯 쪽씩 공부하며 실력을 다질 수 있어요.

지금부터 **똑똑한 하루 어휘 〈맞춤법+받아쓰기〉**로 공부를 시작해 보세요!

5일

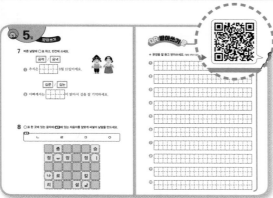

QR코드로 받아쓰기를 들을 수 있어요!
맞춤법과 받아쓰기를 똑똑하게 할 수 있어요!

받아쓰기 를 자신 있게!

- 받아쓰기를 하며 실력 마무리
- 띄어쓰기까지 함께 공부

주차 마무리

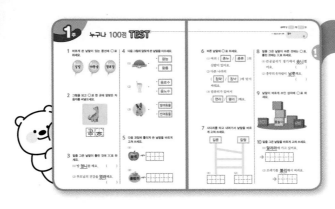

누구나 100점 TEST

- 다양한 문제를 풀면서 한 주에 배운 어휘 확인
- 배운 내용을 정리하면서 맞춤법 실력 확인

특강

- 배운 내용을 정리하며 사고력, 논리력 증진

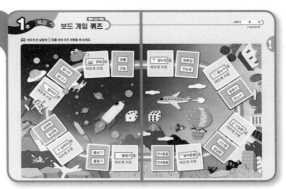

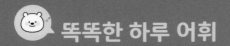 똑똑한 하루 어휘

맞춤법, 받아쓰기 왜 틀릴까요?
어떻게 해야 할까요?

낱말을 소리 나는
대로 쓰면 틀려요.

소리와 쓰기가 다른 낱말은
원리를 이해해야 해요.

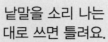

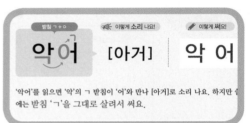

받침 ㄱ + ㅇ 　　🔊 이렇게 소리 나요!　　✏️ 이렇게 써요!

악어　　[아거]　　악 어

'악어'를 읽으면 '악'의 ㄱ 받침이 '어'와 만나 [아거]로 소리 나요. 하지만 쓸 때에는 받침 'ㄱ'을 그대로 살려서 써요.

뜻이 다르지만 소리가 같은
낱말을 자주 틀려요.

낱말을 외우지 않고 문장과
함께 이해해야 해요.

친구가 먼저 갔 다.

나와 친구의 나이가 같 다.

띄어 쓰는 곳을 잘 몰라서
엉뚱하게 띄어 쓰거나
다 붙여서 써요.

어디에서 끊어 읽는지
주의하며 문장을 들어요.

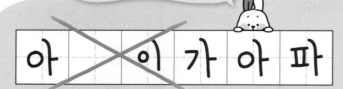

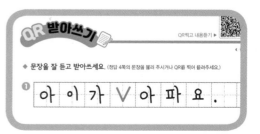

QR 받아쓰기　　QR찍고 내용듣기 ▶

◆ 문장을 잘 듣고 받아쓰세요. (정답 4쪽의 문장을 불러 주시거나 QR을 찍어 들려주세요)

❶ 아 이 가 ∨ 아 파 요 .

등장인물

하윤

동생을 놀려서 가끔씩 울려요.
그렇지만 사실은 동생을 많이 사랑해요.

서준

하윤이의 동생이에요. 누나가 놀려서
화가 날 때도 있지만 누나랑 노는
것이 가장 즐겁답니다.

마음이

하윤이 집의 반려동물이에요.
말을 못해서 그렇지 사람처럼
속이 깊답니다.

부모님

하윤이와 서준이를 사랑해요.
엄마는 가끔 이상한 요리로
가족들을 놀라게 하지요.

친구들

하윤이와 서준이의 친구들이에요.
함께 공부도 하고 놀기도 하면서
우정을 차곡차곡 쌓아 간답니다.

하윤이네 가족과 친구들

하윤이는 가족, 친구들과 함께 보내며 소중한 추억을 만들어 갑니다.

닮은 소리가 나는 말을 써요 1

1주에는 무엇을 공부할까? ①

1주에는 무엇을 공부할까?

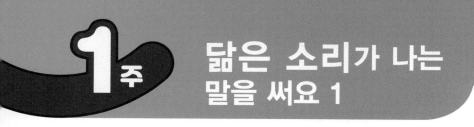
닮은 소리가 나는 말을 써요 1

1주에는 무엇을 공부할까? ❷

뭐 해?

네 휴대 전화에 음료수 쏟아서 씻고 있는 중이야.

✱ 선을 따라가서 ⬤ 안의 알맞은 글자에 ◯표 하세요.

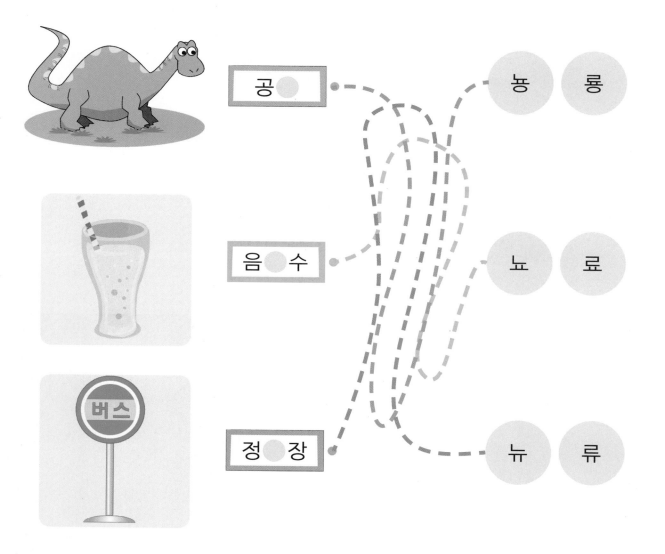

공 ● | 농 룡
음 ● 수 | 뇨 료
정 ● 장 | 뉴 류

✳ 낱말이 바르게 쓰인 헬리콥터를 타고 있는 동물에게 ◯표 하세요.

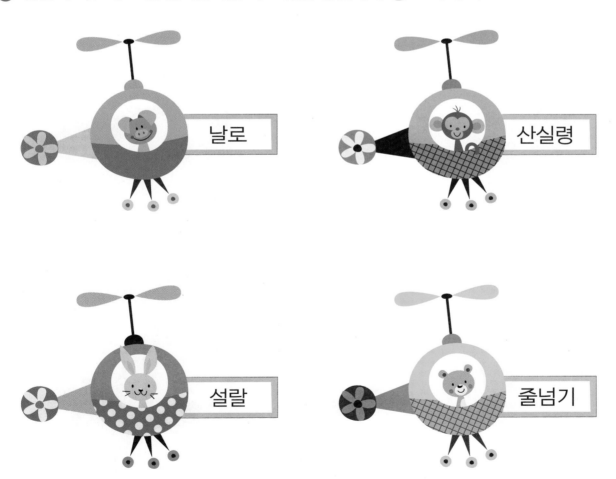

[ㄴ]으로 소리 나는 말 1

내 꿈은 **공룡**이 되는 거야.

달리기는 언제나 **승리**!

헉헉!

밤에 버스 **정류장**에서

아빠를 태우고 돌아오지.

"방 정리도 한 번에 하고,

공룡 대통령이 될 수도 있어.

방 정리 하랬더니 딴생각하지?

엄마는 화가 나면 공룡처럼 무서워.

[ㄴ]으로 소리 나는 말 1

 **맞춤법 익히기**

받침 ㅇ + 첫소리 ㄹ   📢 이렇게 **소리** 나요!   ✏️ 이렇게 **써**요!

공룡 ▶ 공[뇽] | 공 룡

앞 글자의 받침 'ㅇ'이 뒤 글자의 첫소리 'ㄹ'을 만나요. 그러면 뒤 글자의 첫소리 'ㄹ'이 [ㄴ]으로 바뀌어 소리 나요. 하지만 쓸 때에는 'ㄹ'을 그대로 살려서 써요.

◆ 다음 그림과 낱말을 보고, 소리 내어 읽은 후 글자를 따라 쓰세요.

   📢 이렇게 **소리** 나요!   ✏️ **따라** 쓰세요!

정류장 ▶ 정[뉴]장 | 정 류 장

뜻 버스나 택시가 사람을 태우거나 내려 주는 곳.

예 버스가 **정류장**에서 잠깐 멈추었어요.

왕릉 ▶ 왕[능] | 왕 릉

뜻 왕의 무덤.

예 경주에는 **왕릉**이 많아요.

농구에서 승리!

승리

뜻 이기는 일.
예 우리 모둠이 **승리**했어요.

🔊 소리

승[니]

종류

뜻 물건을 나누어 놓은 것.
예 여러 **종류**의 빵.

🔊 소리

종[뉴]

대통령

뜻 나라를 이끌어 가는 사람.
예 **대통령**이 되고 싶어요.

🔊 소리

대통[녕]

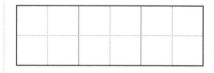

장래

뜻 다가올 앞날.
예 **장래** 희망을 발표해요.

🔊 소리

장[내]

 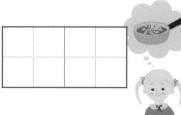 

정리

뜻 치워서 깨끗하게 함.
예 책상 **정리**를 해요.

🔊 소리

정[니]

1 그림을 보고 바른 낱말에 ○표 하고, 빈칸에 쓰세요.

❶

승니 / 승리

축구에서 ⬚⬚ 했어요.

❷

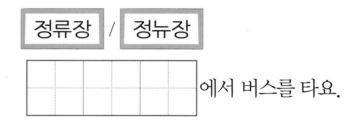

정류장 / 정뉴장

⬚⬚⬚ 에서 버스를 타요.

❸

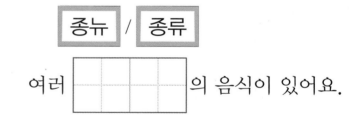

종뉴 / 종류

여러 ⬚⬚ 의 음식이 있어요.

2 밑줄 그은 낱말을 바르게 고쳐 쓰세요.

❶ 놀고 나서는 장난감을 **정니**해요.

→ ⬚⬚⬚

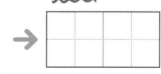

❷ 나의 **장내** 희망은 피아노 연주자예요.

→ ⬚⬚

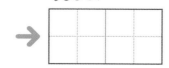

피노키오가 제페토 할아버지를 만날 수 있도록 바르게 쓴 낱말에 ◯표 하고 길을 그려 주세요.

[ㄴ]으로 소리 나는 말 2

[ㄴ]으로 소리 나는 말 2

맞춤법 익히기

받침 ㅁ +첫소리 ㄹ

🔊 이렇게 **소리** 나요!

✏️ 이렇게 **써요**!

음료수 ➜ 음[뇨]수

음	료	수

앞 글자의 받침 'ㅁ'이 뒤 글자의 첫소리 'ㄹ'을 만나요. 그러면 뒤 글자의 첫소리 'ㄹ'이 [ㄴ]으로 바뀌어 소리 나요. 하지만 쓸 때에는 'ㄹ'을 그대로 살려서 써요.

◆ 다음 그림과 낱말을 보고, 소리 내어 읽은 후 글자를 따라 쓰세요.

추석은 음력 8월 15일

🔊 이렇게 **소리** 나요!

✏️ **따라** 쓰세요!

음력 ➜ 음[녁]

음	력

뜻 달이 지구를 한 바퀴 도는 데 걸리는 시간을 한 달로 삼아 만든 달력.

예 할아버지 생신은 **음력** 9월 5일이에요.

남루하다 ➜ 남[누]하다

남	루	하	다

뜻 옷 따위가 낡아 떨어지고 차림새가 더럽다.

예 흥부의 옷차림이 **남루해요**.

염려

염[녀]

염	려

뜻 앞일에 대하여 마음을 써서 걱정함.

예 겨울에 나무가 얼까 봐 **염려**해요.

'삼림'과
비슷한말은
'수풀'이에요.

삼림

삼[님]

삼	림

뜻 나무가 많이 우거진 숲.

예 **삼림**을 보호해요.

일본의 침략에
맞서기 위해
만든 거북선!

침략

침[냑]

침	략

뜻 남의 나라에 쳐들어감.

예 이순신 장군은 일본의 **침략**에 맞섰어요.

1 그림을 보고 카드에 쓰인 낱말을 바르게 고쳐 쓰세요.

❶
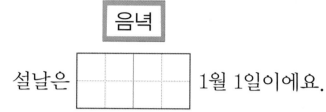
음녁

설날은 〔　　〕 1월 1일이에요.

❷
삼님
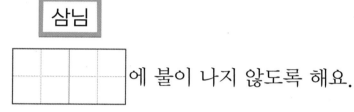

〔　　〕에 불이 나지 않도록 해요.

❸
염녀

할머니의 건강을 〔　　〕해요.

2 빈칸에 들어갈 낱말의 소리를 보고 알맞은 낱말을 쓰세요.

❶ 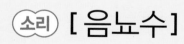 가 시원해요.

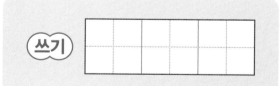
소리 [음뇨수]   쓰기 〔　　　〕

❷ 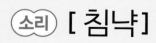 에 맞서서 싸워요.

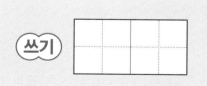
소리 [침냑]   쓰기 〔　　〕

재미있게 하기

여러 꽃에 낱말이 바르지 않게 쓰여 있어요. 사다리를 타고 내려가서 낱말을 바르게
고쳐 쓰세요.

남누   음녁   침냑   삼님

[ㄹ]로 소리 나는 말 1

[ㄹ]로 소리 나는 말 1

받침 ㄴ + 첫소리 ㄹ

🔊 이렇게 **소리** 나요!

✏️ 이렇게 **써**요!

편리

[펼]리

편	리

앞 글자의 받침 'ㄴ'과 뒤 글자의 첫소리 'ㄹ'이 만나요. 그러면 받침 'ㄴ'이 [ㄹ]로
바뀌어 소리 나요. 하지만 쓸 때에는 받침 'ㄴ'을 그대로 살려서 써요.

◆ 다음 그림과 낱말을 보고, 소리 내어 읽은 후 글자를 따라 쓰세요.

🔊 이렇게 **소리** 나요!

✏️ **따라** 쓰세요!

분리

[불]리

분	리

뜻 서로 나뉘어 떨어짐.

예 쓰레기에서 다시 쓸 수 있는 물건을 <u>분리</u>해요.

산신령

산**[실]**령

산	신	령

뜻 산을 지키는 신.

예 **산신령**이 나무꾼에게 도끼를 주었어요.

난로
- 뜻 방을 따뜻하게 하는 기구.
- 예 벽난로에서 나무가 타요.

🔊 소리

[날]로

난리
- 뜻 시끄럽고 어지러운 모습.
- 예 울고불고 난리가 났어요.

🔊 소리

[날]리

신라
- 뜻 옛날에 있었던 나라의 이름.
- 예 김유신은 신라의 장군이 에요.

🔊 소리

[실]라

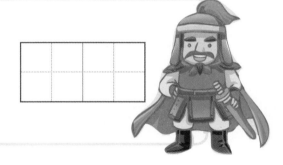

진료비
- 뜻 치료를 받고 내는 돈.
- 예 치과에서 진료비를 냈어요.

🔊 소리

[질]료비

반려동물
- 뜻 가까이 두고 기르는 동물.
- 예 고양이는 반려동물이에요.

🔊 소리

[발]려동물

1 그림을 보고 바른 낱말에 ◯표 하고, 빈칸에 쓰세요.

❶ 편리 / 펼리

자동차가 있어서 [   ][   ] 해요.

❷ 불리 / 분리

쓰레기를 [   ][   ] 해서 버려요.

❸ 산신령 / 산실령

[   ][   ][   ][   ] 이 나타났어요.

2 다음 그림을 보고 낱말을 바르게 고쳐 쓰세요.

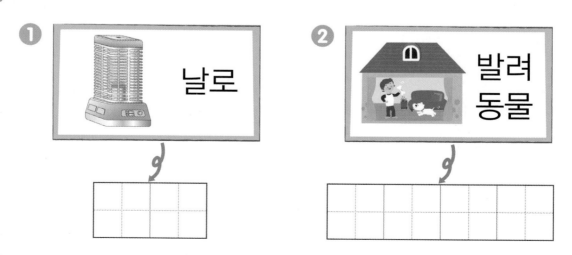

❶ 날로

↓

[   ][   ][   ]

❷ 발려 동물

↓

[   ][   ][   ][   ][   ]

재미있게 하기

● 곰, 개, 고양이가 낚시를 하고 있어요. 낱말이 바르게 쓰인 물고기를 많이 낚은 동물이
이긴다고 해요. 낱말이 바르게 쓰인 물고기에 ◯표 하고 누가 이겼는지 써 보세요.

➡ 이긴 동물은 [   ] 야.

[ㄹ]로 소리 나는 말 2

[ㄹ]로 소리 나는 말 2

받침 ㄹ + 첫소리 ㄴ

설날 ▶ 🔊 이렇게 **소리** 나요! 설[랄]   ✏️ 이렇게 **써**요! 설 날

앞 글자의 받침 'ㄹ'과 뒤 글자의 첫소리 'ㄴ'이 만나요. 그러면 'ㄴ'이 [ㄹ]로 바뀌어 소리 나요. 하지만 쓸 때에는 'ㄴ'을 그대로 살려서 써요.

◆ 다음 그림과 낱말을 보고, 소리 내어 읽은 후 글자를 따라 쓰세요.

 🔊 이렇게 **소리** 나요! 줄[럼]기   ✏️ **따라** 쓰세요!

 뜻 줄을 돌리면서 뛰어넘는 운동이나 놀이.

예 나는 **줄넘기**를 잘해요.

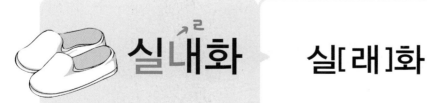 실[래]화

 뜻 안에서 신는 신발.

예 **실내화**를 깨끗하게 신어요.

32 / 똑똑한 하루 어휘 / 맞춤법 + 받아쓰기

길눈

뜻 한 번 가 본 길을 잘 익혀 두어 기억하는 일.

예 나는 **길눈**이 밝아요.

소리

길[룬]

칼날

뜻 칼에서 물건을 베는 부분.

예 **칼날**이 날카로워요.

소리

칼[랄]

달나라

뜻 달에 있다고 상상하는 나라.

예 **달나라**에 토끼가 산대요.

소리

달[라]라

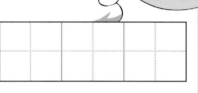

물놀이

뜻 물에서 하는 놀이.

예 수영장에서 **물놀이**를 해요.

소리

물[롤]이

잘나다

뜻 남보다 앞서다.

예 친구가 **잘나** 보여요.

소리

잘[라]다

1 그림을 보고 빈칸에 알맞은 낱말을 보기 에서 찾아 쓰세요.

보기
| 칼랄 | 달나라 | 물롤이 | 달라라 | 칼날 | 물놀이 |

❶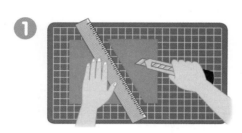

에 베지 않도록 조심해요.

❷

신나게 를 해요.

❸

로 여행을 떠나요.

2 밑줄 그은 낱말을 바르게 고쳐 쓰세요.

❶ 교실에서는 **실래화**를 신어요.

→

❷ **줄럼기**를 하면 재미있어요.

→

낱말을 바르게 쓴 것에 색칠해서 토끼와 거북 중에서 어떤 동물이 숨어 있는지 쓰세요.

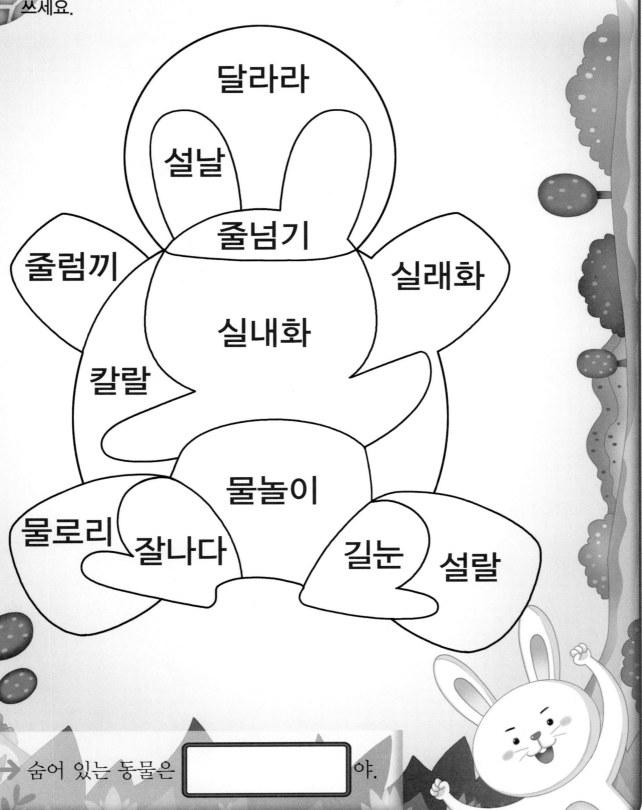

→ 숨어 있는 동물은 [   ](이)야.

5일 받아쓰기

1 다음 그림에 알맞은 낱말을 바르게 쓴 것에 ◯표 하세요.

① 공뇽 공룡 공용

② 산실령 산신령 살실령

2 바르게 쓴 낱말에 색칠하세요.

설날
설랄

에 세배를 해요.

3 바르게 쓴 낱말이 있는 팻말에 ◯표 하고 길을 그려 보세요.

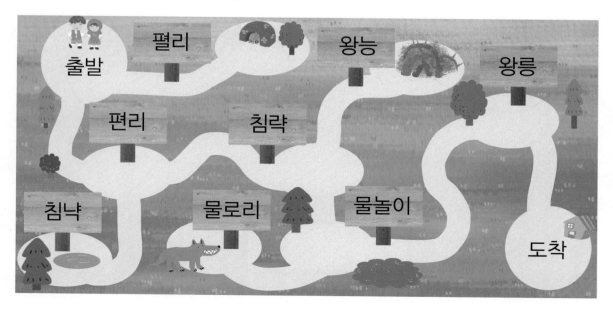

출발 펼리 왕능 왕릉
편리 침략
침낙 물로리 물놀이 도착

2단계 A / 37

4 밑줄 그은 낱말이 바른 것에는 ◯표, 틀린 것에는 ✕표 하세요.

① 차가운 **음뇨수**를 마셔요.
（　　　　　）

② **줄넘기**를 하면 건강해져요.
（　　　　　）

5 바르게 쓴 낱말이 있는 물고기를 2마리 찾아서 ◯표 하세요.

질료비

달나라

실내화

대통녕

6 빈칸에 들어갈 말을 알맞게 이으세요.

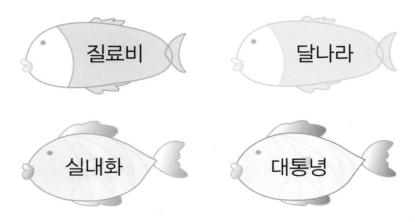

① 도서관에는 책 ☐ 가 많아요.　·

· 종류

· 종뉴

② 나의 ☐ 희망은 가수예요.　·

· 장내

· 장래

5일 **받아쓰기**

7 바른 낱말에 ◯표 하고, 빈칸에 쓰세요.

음력 / 음녁

① 추석은 [ ][ ] 8월 15일이에요.

길룬 / 길눈

② 아빠께서는 [ ][ ] 이 밝아서 길을 잘 기억하세요.

8 ◯표 한 곳에 있는 글자에 [보기]에 있는 자음자를 알맞게 써넣어 낱말을 만드세요.

보기
ㄴ   ㄹ   ㅁ   ㅇ

	종			승
정	ㅠ	장	정	ㅣ
나	로		칼	
리		설	ㄹ	

◑ 정답과 풀이 3쪽

1주

◆ **문장을 잘 듣고 받아쓰세요.** (정답 3쪽의 문장을 불러 주시거나 QR을 찍어 들려주세요.)

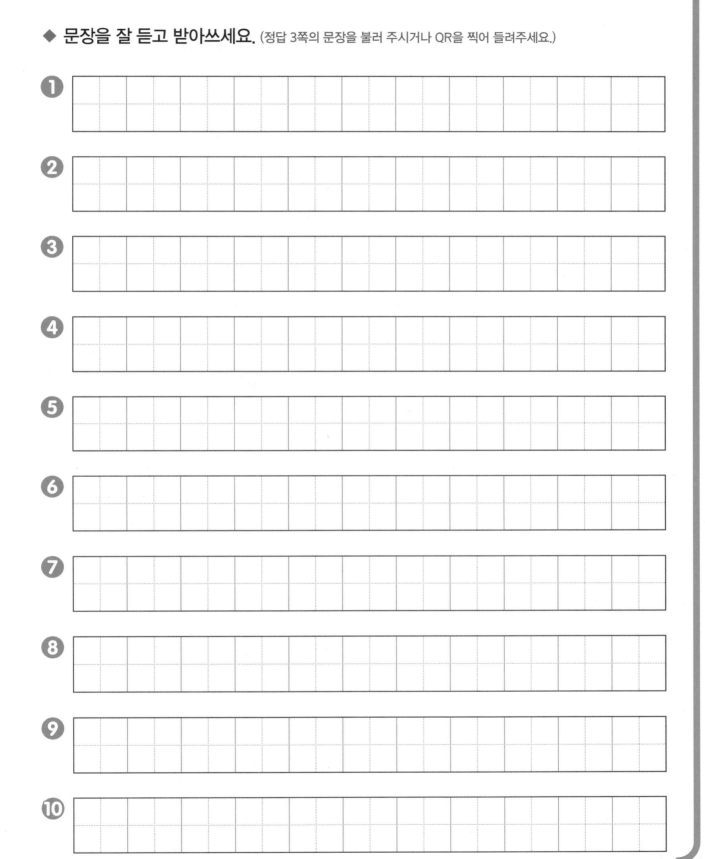

❶

❷

❸

❹

❺

❻

❼

❽

❾

❿

누구나 100점 **TEST**

1 바르게 쓴 낱말이 있는 풍선에 ◯표 하세요.

 설랄

 대통녕

 정류장

2 그림을 보고 ◯표 한 곳에 알맞은 자음자를 써넣으세요.

 공 ⑧

3 밑줄 그은 낱말이 틀린 것에 ✕표 하세요.

(1) 방 **정니**를 해요.　　　（　　　）

(2) 부모님의 건강을 **염려**해요.
　　　　　　　　　　　　（　　　）

4 다음 그림에 알맞게 쓴 낱말을 이으세요.

(1)  ・

・ 왕능

・ 왕릉

(2) ・

・ 음료수

・ 음뇨수

(3)  ・

・ 발려동물

・ 반려동물

5 다음 과일에 틀리게 쓴 낱말을 바르게 고쳐 쓰세요.

(1)
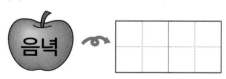 음녁 ➥

(2)
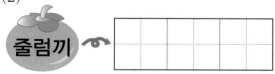 줄럼끼 ➥

6 바른 낱말에 ◯표 하세요.

(1) 여러 (종뉴 / 종류)의
신발이 있어요.

(2) 다른 나라의
(침략 / 침냑)에 맞서
싸워요.

(3) 컴퓨터가 있어서
(편리 / 펼리)해요.

8 밑줄 그은 낱말이 바른 것에는 ◯표,
틀린 것에는 ✖표 하세요.

(1) 큰공굴리기 경기에서 **승니**했
어요.　　　　　(　)

(2) 흥부의 옷차림이 **남루**해요.
　　　　　　　　(　)

9 낱말이 바르게 쓰인 상자에 ◯표 하
세요.

실래화　　물놀이　　실라

7 사다리를 타고 내려가서 낱말을 바르
게 고쳐 쓰세요.

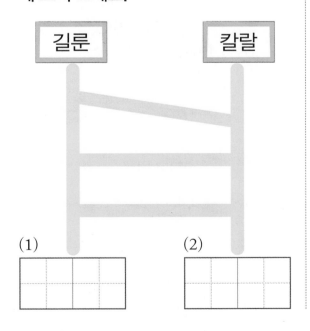

길룬　　　　　칼랄

(1)　　　　　(2)

10 밑줄 그은 낱말을 바르게 고쳐 쓰세요.

(1) **달라라**에 가고 싶어요.

→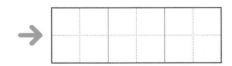

(2) 쓰레기를 **불리**해서 버려요.

→

보드 게임 퀴즈

바르게 쓴 낱말에 ◯표를 하며 우주 여행을 해 보세요.

창의·융합·코딩

사고 쑥쑥

1 보기와 같이 서로 짝이 되는 조각을 연결한 후에 만들어지는 낱말을 쓰세요.

보기

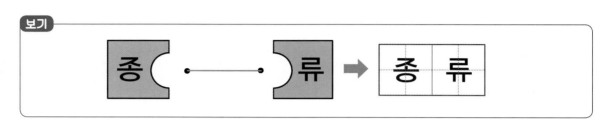

종 ●————● 류 → | 종 | 류 |

염 ● · ● 날 →

신 ● · ● 려 →

칼 ● · ● 라 →

침 ● · ● 략 →

조각이 잘라진 모양을 잘 살펴 보세요.

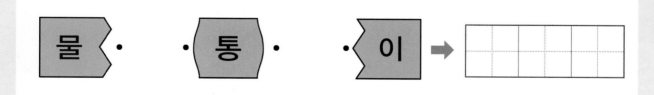

물 ● · ● 통 · ● 이 →

대 ● · ● 놀 · ● 령 →

2 친구가 버스 정류장까지 가야 해요. 바르게 쓴 낱말을 찾아 버스 정류장까지 가는 길을 그려 주세요.

1주 특강 논리 탄탄

1 규칙을 참고하여 만들어지는 낱말을 ⊞ 안에 쓰세요.

> **규칙**
>
> 1. ㉮~㉰에서 각각 일이 일어난 순서대로 번호 쓰기
> 2. ㉮~㉰에서 각각 세 번째로 일어난 일에 있는 글자 찾기
> 3. 2에서 찾은 글자를 모아 완성된 낱말을 ⊞ 안에 쓰기

➡ 나무꾼이 연못에 쇠도끼를 빠뜨리자 ⊞⊞⊞⊞이 나타났어요.

2 친구가 나무 위의 집에 올라가 있어요. 바르게 쓴 낱말이 있는 발판에 ◯표 하고, 땅으로 내려올 수 있게 길을 그려 주세요.

2주 닮은 소리가 나는 말을 써요 2

2주에는 무엇을 공부할까? ①

2주에는 무엇을 공부할까? ②

✱ 사다리를 타고 내려가서 바르게 쓴 낱말에 ◯표 하세요.

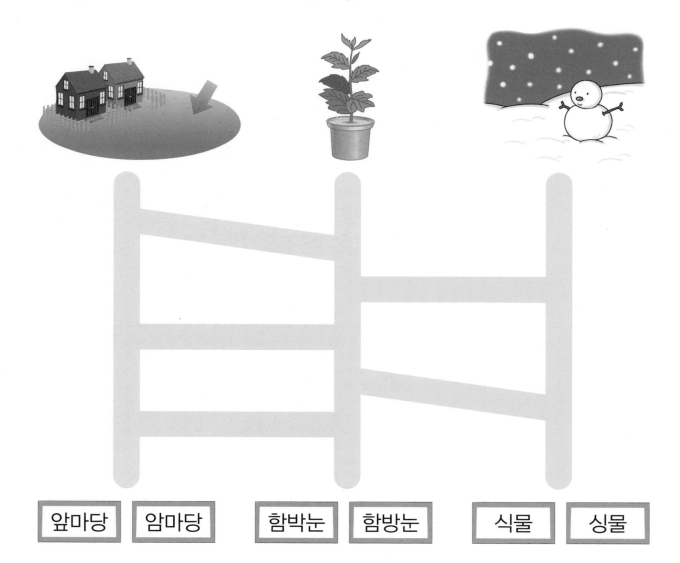

| 앞마당 | 암마당 | 함박눈 | 함방눈 | 식물 | 싱물 |

◑ 정답과 풀이 5쪽

�献 바르게 쓴 낱말이 있는 동물에 ◯표 하세요.

밥맛

암모습

방물관

항년

1일 [ㅁ]으로 소리 나는 말 1

[ㅁ]으로 소리 나는 말 1

받침 ㅂ + 첫소리 ㅁ

🔊 이렇게 **소리** 나요!

✏️ 이렇게 **써요!**

밥맛

[밤]맛

밥	맛

앞 글자의 받침 'ㅂ'이 뒤 글자의 첫소리 'ㅁ'을 만나요. 그러면 앞 글자의 받침이 [ㅁ]으로 바뀌어 소리 나요. 하지만 쓸 때에는 받침 'ㅂ'을 그대로 살려서 써요.

◆ 다음 그림과 낱말을 보고, 소리 내어 읽은 후 글자를 따라 쓰세요.

🔊 이렇게 **소리** 나요!

✏️ **따라** 쓰세요!

입맛

[임]맛

🔍 음식을 먹을 때 입에서 느끼는 맛.

예 **입맛**이 좋아서 밥을 많이 먹어요.

밥물

[밤]물

🔍 밥을 지을 때 쌀에 붓는 물.

예 **밥물**을 알맞게 부어요.

십만

뜻 10000(만)의 10(열)배가 되는 수.
예 모인 사람이 **십만**이나 돼요.

🔊 소리

[심]만

업무

뜻 맡아서 하는 일.
예 **업무**를 열심히 해요.

🔊 소리

[엄]무

입모습

뜻 입의 생긴 모양.
예 **입모습**이 예뻐요.

🔊 소리

[임]모습

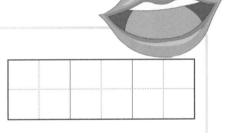

겁먹다

뜻 무서워하는 마음을 가지다.
예 사나운 개에게 **겁먹다**.

🔊 소리

[검]먹다

출입문

뜻 드나드는 문.
예 **출입문**이 열렸어요.

🔊 소리

출[임]문

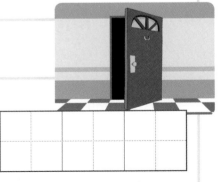

1 그림을 보고 바른 낱말에 ◯표 하고, 빈칸에 쓰세요.

❶

| 밥맛 | / | 밤맏 |

| | | 이 좋아요.

❷

| 검먹다 | / | 겁먹다 |

무서운 영화에 | | | | | .

❸

| 출입문 | / | 출임문 |

궁궐의 | | | | 을 지켜요.

2 다음 그림을 보고 낱말을 바르게 고쳐 쓰세요.

❶

밤물

❷

임맛

● 도로시가 친구들을 만나서 오즈의 마법사를 찾아갈 수 있도록 바르게 쓴 낱말에
○표 하고, 길을 그려 주세요.

심만

십만

출발

임모습

업무

입모습

엄무

밤맏

밥맛

[ㅁ]으로 소리 나는 말 2

[ㅁ]으로 소리 나는 말 2

맞춤법 익히기

받침 ㅍ + 첫소리 ㅁ

앞문

🔊 이렇게 **소리** 나요!

[암]문

✏️ 이렇게 **써**요!

앞	문

앞 글자의 받침 'ㅍ'이 뒤 글자의 첫소리 'ㅁ'을 만나요. 그러면 앞 글자의 받침이 [미]으로 바뀌어 소리 나요. 하지만 쓸 때에는 받침 'ㅍ'을 그대로 살려서 써요.

◆ 다음 그림과 낱말을 보고, 소리 내어 읽은 후 글자를 따라 쓰세요.

🔊 이렇게 **소리** 나요!

[암]마당

✏️ **따라** 쓰세요!

앞	마	당

뜻 집의 앞에 있는 땅.

예 **앞마당**에 풀이 자라요.

🔊 이렇게 **소리** 나요!

[염]머리

옆	머	리

뜻 머리 옆쪽에 난 머리털.

예 **옆머리**를 귀 뒤로 넘겨요.

앞말

뜻 앞에서 한 말.
예 **앞말**을 잘 들어 보세요.

🔊 소리

[암]말

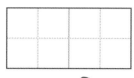

옆면

뜻 왼쪽이나 오른쪽의 면.
예 상자의 **옆면**에 써요.

🔊 소리

[염]면

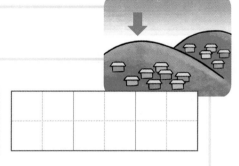

앞마을

뜻 앞쪽에 있는 마을.
예 **앞마을**과 뒷마을이 있어요.

🔊 소리

[암]마을

앞모습

뜻 앞에서 본 모습.
예 짝의 **앞모습**이 보여요.

🔊 소리

[암]모습

밀짚모자

뜻 밀이나 보리의 줄기로 만든
모자.
예 **밀짚모자**를 쓴 허수아비.

🔊 소리

밀[찜]모자

1 그림을 보고 카드에 쓰인 낱말을 바르게 고쳐 쓰세요.

1

암마당

에 나무가 있어요.

2

밀찜모자

를 쓴 농부.

3

암문

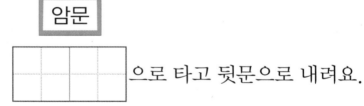

으로 타고 뒷문으로 내려요.

2 밑줄 그은 낱말을 바르게 고쳐 쓰세요.

1 **염머리**를 짧게 잘랐어요.

→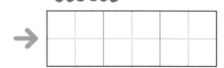

2 자전거의 **암모습**이 예뻐요.

→

● 구름들이 모여서 끝말잇기를 하고 있어요. 앞 구름에 쓰여 있는 낱말의 끝 글자로
시작하는 낱말을 이어서 쓰는 놀이에요. 빈칸에 알맞은 글자나 낱말을 써넣으세요.

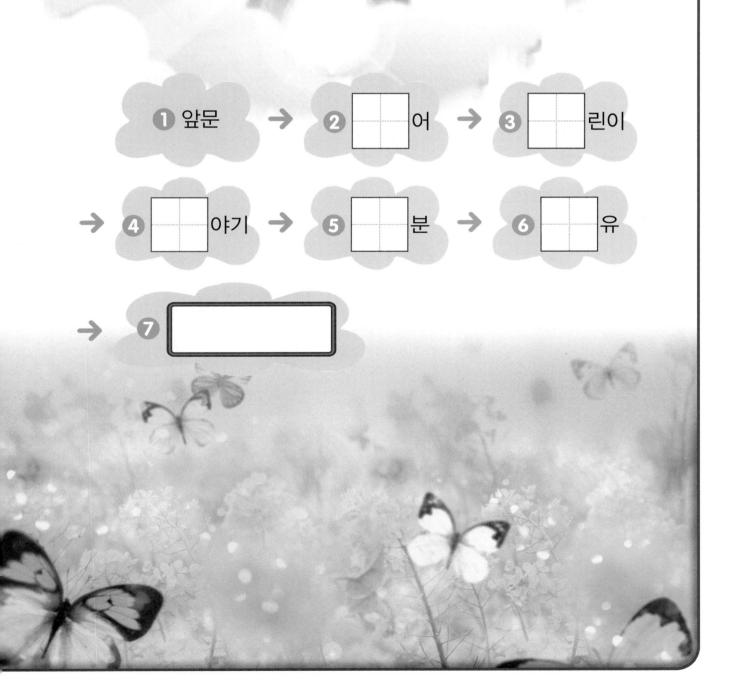

❶ 앞문 → ❷ ☐☐어 → ❸ ☐☐린이

→ ❹ ☐☐야기 → ❺ ☐☐분 → ❻ ☐☐유

→ ❼ ☐☐☐☐

[ㅇ]으로 소리 나는 말 1

[ㅇ]으로 소리 나는 말 1

받침 ㄱ + 첫소리 ㅁ

📢 이렇게 **소리** 나요!

✏️ 이렇게 **써**요!

식물 ▶ [싱]물 | 식 물

앞 글자의 받침 'ㄱ'이 뒤 글자의 첫소리 'ㅁ'을 만나요. 그러면 받침 'ㄱ'이 [ㅇ]으로 바뀌어 소리 나요. 하지만 쓸 때에는 받침 'ㄱ'을 그대로 살려서 써요.

◆ 다음 그림과 낱말을 보고, 소리 내어 읽은 후 글자를 따라 쓰세요.

📢 이렇게 **소리** 나요!

✏️ **따라** 쓰세요!

박물관 ▶ [방]물관 | 박 물 관

뜻 여러 가지 물건을 모아 놓고 보여 주는 곳.

예 **박물관**에서 옛날에 쓰던 물건을 보았어요.

국물 ▶ [궁]물 | 국 물

뜻 국이나 찌개, 라면에 있는 물.

예 라면에 **국물**이 있어요.

국민

뜻 그 나라의 사람.
예 대한민국 **국민**입니다.

🔊 소리

[궁]민

식목일

뜻 나무를 심는 날.
예 4월 5일은 **식목일**입니다.

🔊 소리

[싱]목일

먹물

뜻 벼루에 먹을 갈아 만든
검은 물.
예 **먹물**을 만들어요.

🔊 소리

[멍]물

먹

먹물

벼루

목말

뜻 남의 어깨 위에 두 다리를
벌리고 올라타는 일.
예 **목말**을 타요.

🔊 소리

[몽]말

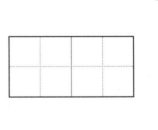

묵묵히

뜻 말없이 잠잠하게.
예 **묵묵히** 걸어요.

🔊 소리

[뭉]묵히

1 그림을 보고 바른 낱말에 ◯표 하고, 빈칸에 쓰세요.

❶

궁물 / 국물

이 매워요.

❷

목말 / 몽말

아이가

을 타요.

❸

묵묵히 / 뭉무키

책 정리를 해요.

2 카드의 낱말을 바르게 고쳐 쓰세요.

❶ 방물관 으로 현장 체험학습을 가요.

→

❷ 싱목일 에 나무를 심어요.

→

◉ 동물 친구들이 종이배를 가지고 있어요. 그런데 종이배에 낱말이 바르지 않게 쓰여 있네요. 사다리를 타고 내려가서 낱말을 바르게 고쳐 쓰세요.

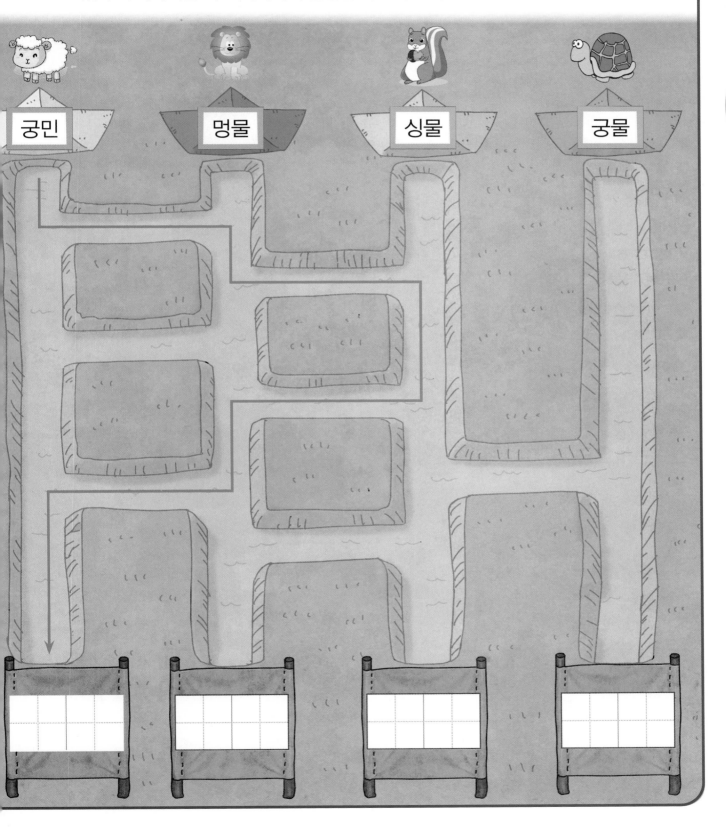

[ㅇ]으로 소리 나는 말 2

함박눈이다, 신난다!

누나, 눈싸움하자.

맞고 울지 않기다.

빨리빨리.

크게 크게.

으악!

받아랏!

[ㅇ]으로 소리 나는 말 2

맞춤법 익히기

받침 ㄱ + 첫소리 ㄴ

 이렇게 소리 나요!

 이렇게 써요!

학년

[항]년

학	년

앞 글자의 받침 'ㄱ'이 뒤 글자의 첫소리 'ㄴ'을 만나요. 그러면 받침 'ㄱ'이 [ㅇ]으로 바뀌어 소리 나요. 하지만 쓸 때에는 받침 'ㄱ'을 그대로 살려서 써요.

◆ 다음 그림과 낱말을 보고, 소리 내어 읽은 후 글자를 따라 쓰세요.

 이렇게 소리 나요!

 따라 쓰세요!

 막내

[망]내

막	내

 뜻 형, 누나, 오빠, 언니가 있고 나이가 가장 어린 사람.

예 나는 **막내**예요.

함박눈

함[방]눈

함	박	눈

 뜻 굵고 탐스럽게 내리는 눈.

예 **함박눈**이 내려서 눈사람을 만들었어요.

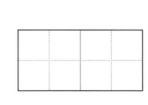

바르게 써 보세요!

작년

뜻 이해의 바로 앞의 해.
예 **작년**에 1학년이었어요.

🔊 소리

[장]년

'지금 지나가고 있는 이해'를 '올해'라고 해요.

직녀

뜻 견우직녀 이야기에 나오는 여자 주인공.
예 견우와 **직녀**가 만나는 날이에요.

🔊 소리

[징]녀

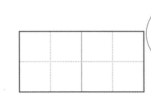

견우와 직녀는 까마귀와 까치가 놓아 준 다리에서 만나요.

국내

뜻 나라의 안.
예 **국내** 여행을 해요.

🔊 소리

[궁]내

속눈썹

뜻 눈의 가장자리에 난 털.
예 **속눈썹**이 길어요.

🔊 소리

[송]눈썹

넉넉하다

뜻 모자라지 않고 많다.
예 놀부는 돈이 **넉넉해요**.

🔊 소리

[넝]넉하다

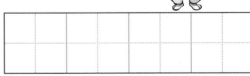

1 그림을 보고 빈칸에 알맞은 낱말을 보기 에서 찾아 쓰세요.

보기
막내   항년   함박눈   망내   학년   함방눈

❶  나는 2⬚⬚⬚이에요.

❷  오빠들이 있고 나는 ⬚⬚예요.

❸  ⬚⬚⬚⬚이 펑펑 내려요.

2 밑줄 그은 낱말을 바르게 고쳐 쓰세요.

❶ 돈이 **넝넉**해요.

→ ⬚⬚⬚

❷ **장년**보다 올해에 키가 많이 컸어요.

→ ⬚⬚⬚

빨간 모자가 시냇물을 건너 할머니 댁에 갈 수 있도록 낱말을 바르게 쓴 징검돌에 ◯표 하고, 길을 그려 주세요.

1 다음 그림에 알맞은 낱말을 바르게 쓴 것에 ◯표 하세요.

❶ 식물 | 싱물 | 신물

❷ 출임문 | 출입문 | 추림문

2 알맞은 낱말에 ◯표 하고, 빈칸에 쓰세요.

밀짚모자

밀찜모자

→

3 바르게 쓴 낱말이 있는 풍선에 색칠하세요.

밤맏

앞문

국민

방물관

작년

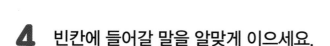
4 빈칸에 들어갈 말을 알맞게 이으세요.

① [　　　]이 좋아서 밥을 많이 먹었어요. •

② 동생은 [　　　]이 엄마를 닮았어요. •

· 입맛

· 임맏

· 암모습

· 앞모습

5 밑줄 그은 낱말이 바른 것에는 ○표, 틀린 것에는 ✗표 하세요.

① 친구는 **묵묵히** 책을 읽어요.
(　　　)

② 아기의 **송눈썹**이 길어요.
(　　　)

6 다음 그림에 알맞은 낱말을 보기 에서 찾아 쓰세요.

보기
함방눈　　　앞마당　　　함박눈　　　암마당

①

②

7 바른 낱말에 ◯표 하고, 빈칸에 쓰세요.

넉넉해요	/	넉넉해요

❶ 음식이 〔　　　　　〕.

겁먹어요	/	검먹어요

❷ 쫓아오는 개에게 〔　　　　　〕.

8 개미가 집에 갈 수 있도록 문에 쓰여 있는 낱말을 바르게 고쳐 쓰세요.

망내

궁물

항년

◑ 정답과 풀이 7쪽

◆ **문장을 잘 듣고 받아쓰세요.** (정답 7쪽의 문장을 불러 주시거나 QR을 찍어 들려주세요.)

①

②

③

④

⑤

⑥

⑦

⑧

⑨

⑩

1 다음 그림에 알맞게 쓴 낱말을 이으세요.

(1) •

(2) •

• 밥물

• 밤물

• 앞문

• 암문

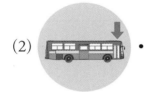

2 밑줄 그은 낱말이 바른 것에 ◯표 하세요.

(1) 나는 대한민국 **궁민**이에요.

(   )

(2) 배가 고파서 **밤맏**이 좋아요.

(   )

(3) 우유갑의 **옆면**을 살펴보세요.

(   )

3 다음 글자의 알맞은 받침을 찾아 색칠하세요.

먿 물

ㄱ ㅇ

4 낱말을 바르게 쓴 색연필에 ◯표 하세요.

출임문

방물관

밀찜모자

속눈썹

5 빈칸에 알맞은 글자를 써넣으세요.

목 일은 나무를 심는

날이에요.

6 바르게 쓴 낱말에 ○표 하세요.

놀부는 쌀이

(넉넉해요 / 넝넉해요).

7 바르게 쓴 낱말을 들고 있는 개에 ○표 하세요.

8 밑줄 그은 낱말이 바른 것에 ○표 하세요.

(1) 무서운 영화 장면에 **겁먹어요**.

　　　　　　　（　　）

(2) 친구는 **뭉묵히** 내 가방을 들어 주었어요.　　（　　）

9 바른 낱말에 ○표 하고, 빈칸에 쓰세요.

견우와 직녀 / 징녀

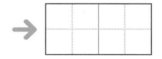

→

10 다음 카드에 쓰여 있는 낱말을 바르게 고쳐 쓰세요.

(1)

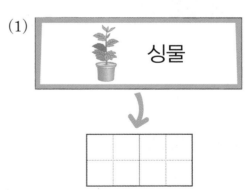

싱물

(2)

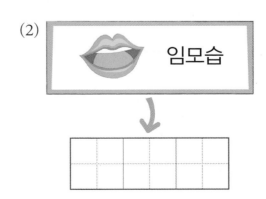

임모습

보드 게임 퀴즈

📖 바르게 쓴 낱말에 ◯표를 하며, 미끄럼틀을 타 보세요.

사고 쑥쑥

1 십자말풀이를 하고 있어요. 빈칸에 알맞은 글자를 써넣어 십자말풀이를 해 보세요.

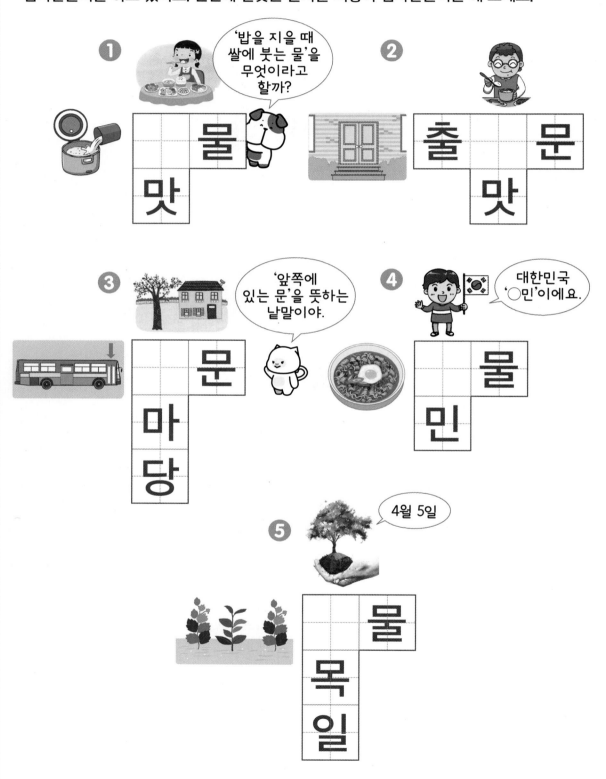

❶ '밥을 지을 때 쌀에 붓는 물'을 무엇이라고 할까?

❸ '앞쪽에 있는 문'을 뜻하는 낱말이야.

❹ 대한민국 '○민'이에요.

❺ 4월 5일

2 친구들이 꼬리잡기 놀이를 하고 있어요. 친구들의 꼬리에 매달린 글자를 보고 빈칸에 알맞은 낱말을 써넣으세요.

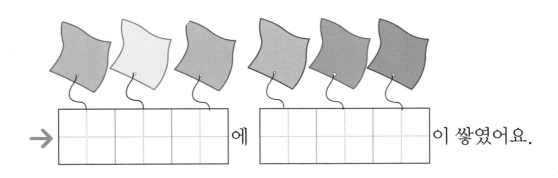

에 _____ 이 쌓였어요.

논리 탄탄

1 친구들이 공을 던져서 과녁을 맞히고 있어요. **규칙**과 같이 친구들이 맞힌 과녁의 숫자와 만들어진 낱말을 쓰세요.

규칙

합 12점

7 + 5 → 엽 면

↳ 큰 수부터 쓰세요.

❶ 합 35점

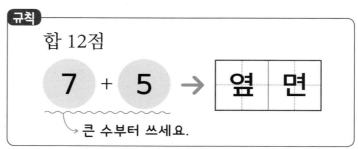

＋ →

❷ 합 80점

＋ ＋ →

합이 되는
수를 짝 지어
보세요.

2 당나귀가 브레멘 음악대 단원이 되기 위해 친구들을 만나야 해요. 낱말이 바르게 쓰인 문을 통과해서 친구들을 만나 보세요.

소리와 모양이 다른 말을 써요

3주에는 무엇을 공부할까? ❷

★ 낱자 카드를 맞추어 그림에 알맞은 낱말을 완성해 보세요.

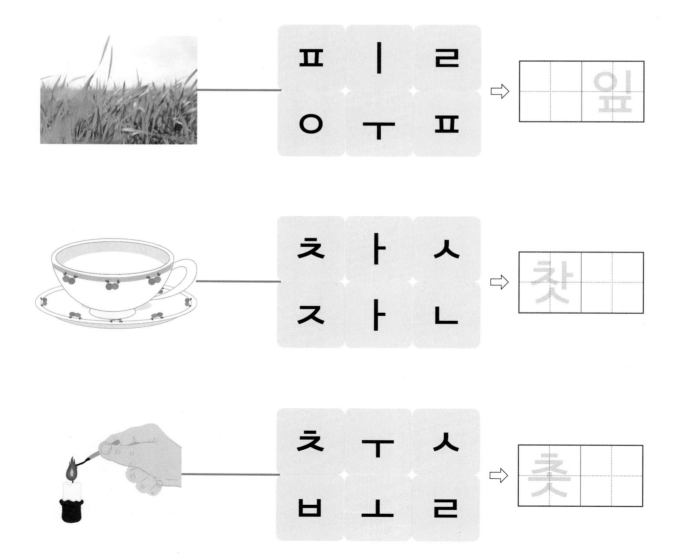

⭐ 선을 따라가서 그림에 알맞게 쓴 낱말에 ◯표 하세요.

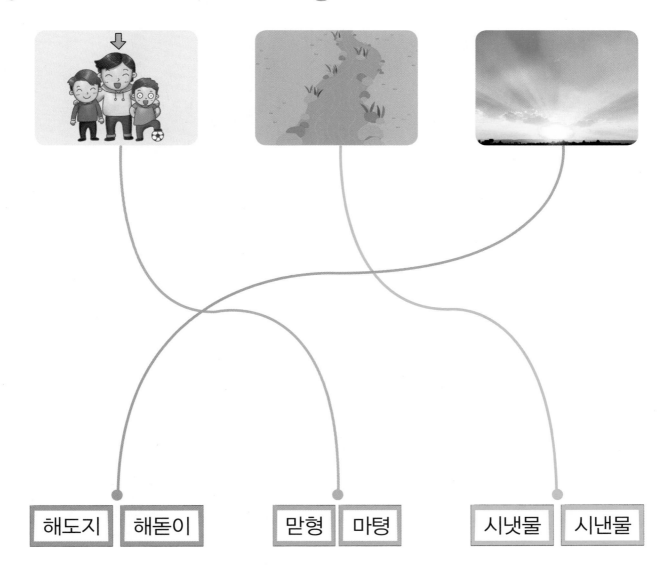

| 해도지 | 해돋이 | | 맏형 | 마텽 | | 시냇물 | 시낸물 |

[ㅈ]으로 소리 나는 말

맞춤법 익히기

받침 ㄷ + 모음 ㅣ

🔊 이렇게 **소리** 나요!

해[도지]

✏️ 이렇게 **써요!**

| 해 | 돋 | 이 |

받침 'ㄷ'이 'ㅣ'를 만나면 [ㅈ]으로 소리 나요.
하지만 쓸 때에는 원래 받침인 'ㄷ'을 그대로 살려서 써요.

3주

◆ 다음 그림과 낱말을 보고, 소리 내어 읽은 후 글자를 따라 쓰세요.

🔊 이렇게 **소리** 나요!

턱[빠지]

✏️ **따라** 쓰세요!

| 턱 | 받 | 이 |

뜻 침 따위가 옷에 묻지 않도록 어린아이의 턱 아래에 대어 주는 물건.

예 동생은 밥 먹을 때 **턱받이**를 해요.

'맏이'의 반대말은 '막내'예요.

[마지]

| 맏 | 이 |

뜻 동생들보다 나이가 가장 많은 사람.

예 누나는 우리 남매 중에서 **맏이**입니다.

[ㅊ]으로 소리 나는 말

맞춤법 익히기

받침 ㅌ + 모음 ㅣ

🔊 이렇게 **소리** 나요!

[가치]

✏️ 이렇게 **써**요!

같 이

받침 'ㅌ'이 'ㅣ'를 만나면 [ㅊ]으로 소리 나요.
하지만 쓸 때에는 원래 받침인 'ㅌ'을 그대로 살려서 써요.

◆ 다음 그림과 낱말을 보고, 소리 내어 읽은 후 글자를 따라 쓰세요.

🔊 이렇게 **소리** 나요!　　✏️ **따라** 쓰세요!

 붙이다　[부치]다　붙 이 다

 뜻 맞닿아 떨어지지 않게 하다.
예 벽에 스티커를 **붙이다**.

 샅샅이　샅[싸치]　샅 샅 이

 뜻 비어 있는 곳 없이 모조리.
예 서랍 안을 **샅샅이** 찾아보았어요.

1 그림을 보고 바른 낱말에 ◯표 하고, 빈칸에 쓰세요.

❶

해도지 / 해돋이

새벽에 [   ]를 보았어요.

❷

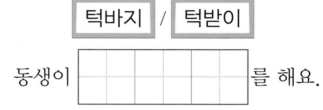
턱바지 / 턱받이

동생이 [   ]를 해요.

❸

미치 / 밑이

책상 [   ] 더러워요.

2 밑줄 그은 낱말을 바르게 고쳐 쓰세요.

❶ 친구와 **가치** 도서관에 갔어요.

→ [   ]

❷ 서랍을 **삳사치** 뒤졌어요.

→ [   ]

밑줄 그은 낱말을 바르게 쓴 칸에 색칠하여 곰과 고양이 중에서 어떤 동물이 숨어 있는지 쓰세요.

공책에 스티커를 **부치다**.

가족과 함께 **해돋이**를 보았어요.

나는 우리 집의 **마지**입니다.

동생의 **턱받이**는 곰돌이 모양이에요.

간식을 **가치** 먹자.

동생과 **같이** 놀이터에 가요.

주위를 **샅샅이** 둘러봐요.

나무 **미치** 시원해요.

➡ 숨어 있는 동물은 ☐☐☐ 야.

맞춤법 익히기

받침 ㄱ + 첫소리 ㅎ	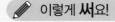 이렇게 **소리** 나요!	🖊 이렇게 **써**요!
	[구콰]	국 화

받침 'ㄱ', 'ㄷ'이 'ㅎ'을 만나면 각각 [ㅋ], [ㅌ]으로 소리 나요.
하지만 쓸 때에는 원래 받침인 'ㄱ'과 'ㄷ'을 그대로 살려서 써요.

◆ 다음 그림과 낱말을 보고, 소리 내어 읽은 후 글자를 따라 쓰세요.

받침 ㄱ + 첫소리 ㅎ	 이렇게 **소리** 나요!	🖊 **따라** 쓰세요!
	[추카]	축 하

- 뜻 남의 좋은 일을 기뻐하는 뜻으로 인사하는 것.
- 예 줄넘기 10개 성공한 것을 **축하**해.

받침 ㄷ + 첫소리 ㅎ		
	[마텅]	맏 형

- 뜻 둘이나 둘보다 많은 형 가운데 가장 나이가 많은 형.
- 예 우리 **맏형**은 중학생이야.

[ㅍ], [ㅊ]으로 소리 나는 말

맞춤법 익히기

받침 ㅂ + 첫소리 ㅎ	🔊 이렇게 **소리** 나요!	✏️ 이렇게 **써**요!
입학	[이팍]	입 학

받침 'ㅂ', 'ㅈ'이 'ㅎ'을 만나면 각각 [ㅍ], [ㅊ]으로 소리 나요.
하지만 쓸 때에는 원래 받침인 'ㅂ'과 'ㅈ'을 그대로 살려서 써요.

◆ 다음 그림과 낱말을 보고, 소리 내어 읽은 후 글자를 따라 쓰세요.

받침 ㅂ + 첫소리 ㅎ	🔊 이렇게 **소리** 나요!	✏️ **따라** 쓰세요!
 합하다	[하파]다	합 하 다

 뜻 여럿을 한데 모으다.

예 1과 1을 **합하다**.

 '합하다'와 '더하다'는 뜻이 서로 비슷한 말이에요.

받침 ㅈ + 첫소리 ㅎ		
 꽂히다	[꼬치]다	꽂 히 다

 뜻 박아 세우거나 끼워지다.

예 화살이 과녁에 **꽂히다**.

1 그림을 보고 바른 낱말에 〇표 하고, 빈칸에 쓰세요.

❶

추카 / 축하

생일을 〼〼〼 해.

❷

구콰 / 국화

이 꽃은 〼〼〼 야.

❸

하파다 / 합하다

서로 힘을 〼〼〼〼 .

2 그림에 알맞은 낱말을 써넣어 낱말 카드를 완성하세요.

❶

읽기	[꼬치다]
쓰기	

❷

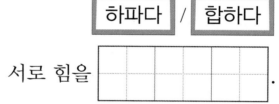

읽기	[이팍]
쓰기	

◉ 혜연이가 엄마 심부름을 가고 있어요. 알맞은 낱말이 쓰인 팻말을 찾고 길을 따라 선을 그려서 혜연이가 가는 곳이 어디인지 ◯표 하세요.

[ㄴ] 소리가 덧나는 말

맞춤법 익히기

🔊 이렇게 **소리** 나요!　　　✏ 이렇게 **써**요!

한여름 ▶ 한[녀]름　　|　한 여 름

'한여름'이 [한녀름]으로 소리 나는 것처럼 어떤 낱말은 [ㄴ] 소리가 더해져 나요.
하지만 쓸 때에는 ㄴ을 빼고 써요.

3
주

◆ 다음 그림과 낱말을 보고, 소리 내어 읽은 후 글자를 따라 쓰세요.

🔊 이렇게 **소리** 나요!　　　✏ **따라** 쓰세요!

 **색연필** ▶ 색[년]필　　

 뜻 여러 가지 색깔이 나게 만든 연필.
　　　 예 **색연필**로 그림을 그려요.

 **담요** ▶ 담[뇨]　　

 뜻 두껍게 만든 이불.
　　　 예 추워서 **담요**를 덮어요.

[ㄹ] 소리가 덧나는 말

맞춤법 익히기

🔊 이렇게 **소리** 나요!　　✏️ 이렇게 **써**요!

풀잎 ➤ 풀[립]　|　풀 잎

'풀잎'이 [풀립]으로 소리 나는 것처럼 어떤 낱말은 [ㄹ] 소리가 더해져 나요. 하지만 쓸 때에는 ㄹ을 **빼고** 써요.

◆ 다음 그림과 낱말을 보고, 소리 내어 읽은 후 글자를 따라 쓰세요.

🔊 이렇게 **소리** 나요!　　✏️ **따라** 쓰세요!

알약 ➤ 알[략]　|　알 약

- 뜻 작고 둥글게 만든 약.
- 예 감기에 걸려 **알약**을 먹어야 해요.

전철역 ➤ 전철[력]　|　전 철 역

- 뜻 전철을 타고 내리는 역.
- 예 **전철역**에서 아빠를 기다렸어요.

1 그림을 보고 바르게 쓴 낱말을 선으로 잇고, 빈칸에 쓰세요.

①

· 풀잎

· 풀립 →

②

· 색연필

· 생년필 →

③

· 한여름

· 한녀름 →

2 밑줄 그은 낱말을 바르게 고쳐 쓰세요.

① **알략**은 먹기가 힘들어요.

→

② **담뇨**를 덮어 주었어요.

→

◉ [ㄴ], [ㄹ] 소리가 덧나는 낱말을 바르게 쓴 구슬을 찾아 선을 그어서 민진이의 구슬 꿰기를 완성하세요.

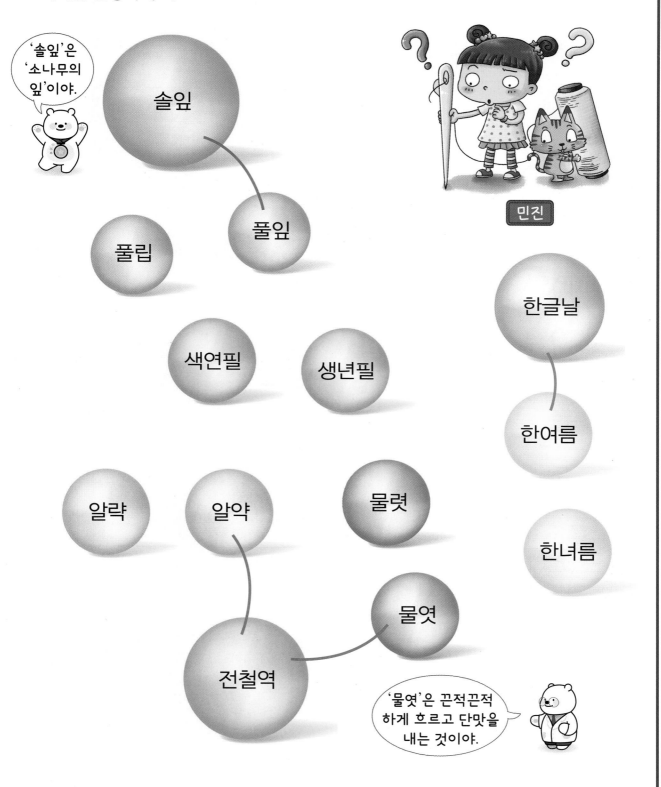

'솔잎'은 '소나무의 잎'이야.

솔잎

풀잎

풀립

민진

색연필

생년필

한글날

한여름

한녀름

알략

알약

물럿

물엿

전철역

'물엿'은 끈적끈적하게 흐르고 단맛을 내는 것이야.

사이시옷이 붙은 말

사이시옷이 붙은 말

 낱말 사이에 'ㅅ'이 들어가요!　　　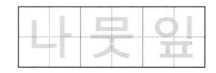 이렇게 써요!

촛불 ▶ ㅊ + ㅅ + 불

촛	불

'촛불'은 '초'와 '불'을 합쳐 만든 낱말이에요. 이때 낱말 사이에 들어가는 'ㅅ'을 '사이시옷'이라고 해요. 쓸 때에도 'ㅅ'을 그대로 살려서 써요.

◆ 다음 그림과 낱말을 보고, 소리 내어 읽은 후 글자를 따라 쓰세요.

'ㅅ'이 들어가요　　　이렇게 써요!

나뭇잎 ▶ 나무 + ㅅ + 잎

나	뭇	잎

콧구멍 ▶ 코 + ㅅ + 구멍

콧	구	멍

비눗방울 ▶ 비누 + ㅅ + 방울

✏️ 바르게 써 보세요!

잇몸

😊 이를 둘러싸고 있는 살.
💬 **잇몸**도 닦아요.

> **'ㅅ'이 들어가요**
>
> 이 + ㅅ + 몸

시냇물

😊 시내에서 흐르는 물.
💬 **시냇물**이 졸졸 흘러요.

> **'ㅅ'이 들어가요**
>
> 시내 + ㅅ + 물

찻잔

😊 차를 따라 마시는 잔.
💬 **찻잔**에 따라서 마셔요.

> **'ㅅ'이 들어가요**
>
> 차 + ㅅ + 잔

'뒷다리'도
사이시옷이 붙은
말이에요.
→ 뒤 + ㅅ + 다리

뒷문

😊 뒤로 난 문.
💬 **뒷문**으로 나가세요.

> **'ㅅ'이 들어가요**
>
> 뒤 + ㅅ + 문

빗방울

😊 비가 되어 떨어지는 물방울.
💬 **빗방울**이 뚝뚝 떨어져요.

> **'ㅅ'이 들어가요**
>
> 비 + ㅅ + 방울

1 그림을 보고 바른 낱말에 ◯표 하고, 빈칸에 쓰세요.

❶

[   ] 이 졸졸졸 흘러요.

❷

동생이 [   ] 을 벌름거려요.

❸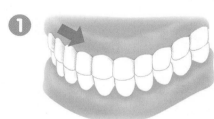

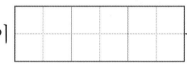

하늘에서 [   ] 이 떨어져요.

2 사이시옷을 알맞게 써넣고, 낱말을 바르게 쓰세요.

❶

 ◯ + 몸 → [   ]

❷

뒷 + 다리 → [   ]

정민이가 도서관에 갈 수 있도록 바른 낱말에 ◯표 하고, 길을 따라 선을 그으세요.

1 다음 문장을 보고 바른 낱말에 ◯표 하세요.

1 놀이터에 (가치 / 같이) 가자.

2 형은 내년에 중학교에 (이팍 / 입학) 합니다.

3 가을이 되자 (나무잎 / 나뭇잎)이 노랗게 물들었어요.

2 그림을 보고 바르게 쓴 문장에 ◯표 하세요.

1 풀잎에 이슬이 맺혔어요.　　　　　(　)

2 풀립에 이슬이 맺혔어요.　　　　　(　)

3 밑줄 그은 낱말이 바르게 쓰인 나무는 모두 몇 그루인지 쓰세요.

동생이 **턱바지**를 하다.

비방울이 떨어져요.

생일 **추카해**.

나무 **밑이** 시원해요.

(　　　　　)그루

4 그림에 알맞은 문장을 찾아 선으로 이으세요.

· 스티커를 부치다.

· 스티커를 붙이다.

5 밑줄 그은 낱말을 바르게 고쳐 쓰세요.

① 화살이 과녁에 **꼬치다**.

→

② 개구리는 앞다리보다 **뒤다리**가 더 빨리 자라요.

→

6 낱말이 바르게 쓰인 벽돌 1개를 찾아 색칠하세요.

알략　　담요　　한녀름

전철력　　구콰

7 낱말이 바르게 쓰인 사과 3개를 찾아 ◯표 하세요.

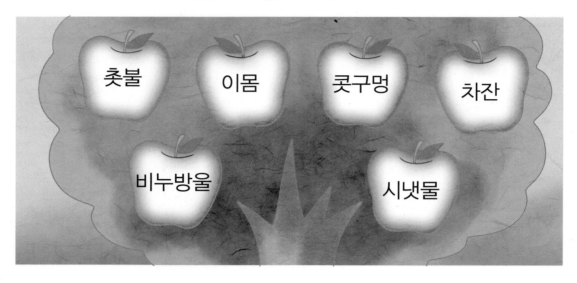

촛불 　 이몸 　 콧구멍 　 차잔

비누방울 　 시냇물

8 바른 낱말에 ◯표 하고, 빈칸에 쓰세요.

| 끄치 | / | 끝이 |

❶ 못 　　　　　 뾰족합니다.

| 뒤문 | / | 뒷문 |

❷ 버스 　　　　 으로 내려요.

| 해도지 | / | 해돋이 |

❸ 새해에 가족과 　　　　　　 를 보러 동해에 갔어요.

◑ 정답과 풀이 11쪽

◆ **문장을 잘 듣고 받아쓰세요.** (정답 11쪽의 문장을 불러 주시거나 QR을 찍어 들려주세요.)

❶

❷

❸

❹

❺

❻

❼

❽

❾

❿

누구나 100점 TEST

1 바른 낱말에 ◯표 하세요.

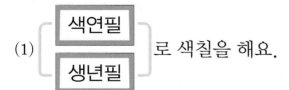

(1) [색연필 / 생년필] 로 색칠을 해요.

(2) [비눗방울 / 비누방울] 을 불어요.

2 다음 그림에 알맞은 낱말을 골라 색칠 하세요.

| 나뭇잎 | 나무잎 |
| 나문닢 | 나뭇닢 |

3 낱말이 바르게 쓰인 종이를 2개 골라 ◯표 하세요.

해도지   꽃히다

알약   하파다

4 밑줄 그은 낱말을 바르게 고쳐 쓰세요.

친구와 가치 책을 읽어요.

→ | | | | |

5 다음 그림에 알맞게 쓴 낱말을 이으세요.

(1)

· 시낸물
· 시냇물

(2)

· 추카
· 축하

(3)

· 초불
· 촛불

6 그림을 보고 바르게 쓴 문장에 ◯표 하세요.

(1) 한여름에 놀러 가요. 　(　　)

(2) 한녀름에 놀러 가요. 　(　　)

7 바르게 쓴 낱말에 ◯표 하세요.

| 이팍 | 코꾸멍 | 뒷문 |

8 밑줄 그은 낱말이 바른 것에는 ◯표, 틀린 것에는 ✕표 하세요.

(1) <u>전철력</u>에서 친구를 기다려요.

　(　　)

(2) <u>찻잔</u>에 차를 따라 마셔요.

　(　　)

9 다음 ☐ 안에 알맞은 받침을 찾아 색칠 하세요.

(1)

비방울

| ㅅ | ㅆ |

(2)

마형

| ㅌ | ㄷ |

10 밑줄 그은 낱말을 바르게 고친 것에 ◯표 하세요.

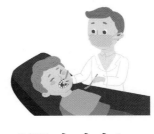

<u>읻몸</u>이 아파요.

➞ | 인몸 | / | 잇몸 |

보드 게임 퀴즈

📖 바르게 쓴 낱말에 ○표를 하며 말판 놀이를 해 보세요.

1 실로폰을 연주하고 있어요. 보기 의 계이름에 맞게 연주하면 어떤 낱말이 나오는지 쓰세요.

보기

암호표

도	레	미	파	솔	라
한	늠	여	함	름	녀

→ | | | | |

2 블록 놀이를 하고 있어요. 블록의 빈칸에 알맞은 글자를 써넣어 낱말을 완성하세요.

해돋이는 해가 막 솟아오르는 때를 뜻해요.

비
늧
빗   울
울

해
돋
턱 받

3 보기와 같이 짝이 되는 글자를 골라 ◯표 하세요.

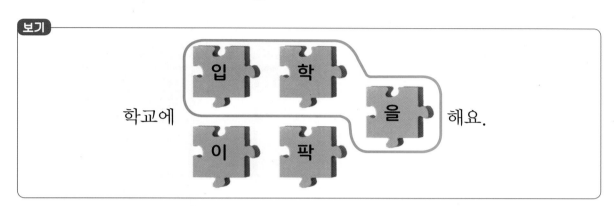

① 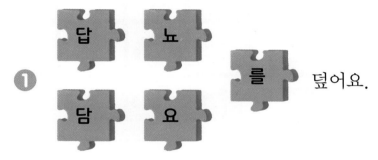 덮어요.

② 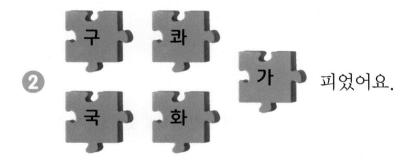 피었어요.

③  열려 있어요.

창의·융합·코딩

논리 탄탄

1 동물 친구들이 주사위 놀이를 해요. 동물 친구들의 설명대로 끝까지 가면 만나는 것에 ◯표 하고, 이름을 쓰세요.

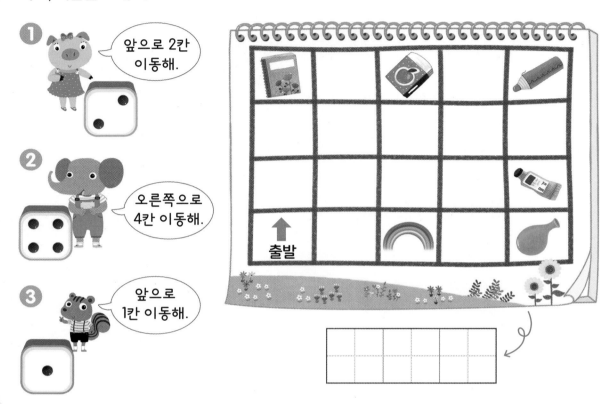

2 친구들이 보물 상자의 열쇠를 찾았어요. 낱말이 바르게 쓰인 열쇠를 찾아 ◯표 하세요.

3 아기 북극곰이 얼음집으로 갈 수 있도록 길을 찾아보세요.

규칙

1. 길에 있는 낱말이 바르면 ◯ 표를 따라가세요.
2. 길에 있는 낱말이 바르지 않으면 ✕ 표를 따라가세요.

틀리기 쉬운 말을 바르게 써요

4주에는 무엇을 공부할까? 1

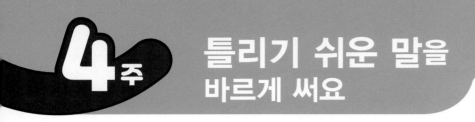

틀리기 쉬운 말을 바르게 써요

4주에는 무엇을 공부할까? ❷

✱ 선을 따라가서 그림에 알맞은 낱말을 찾아 ◯표 하세요.

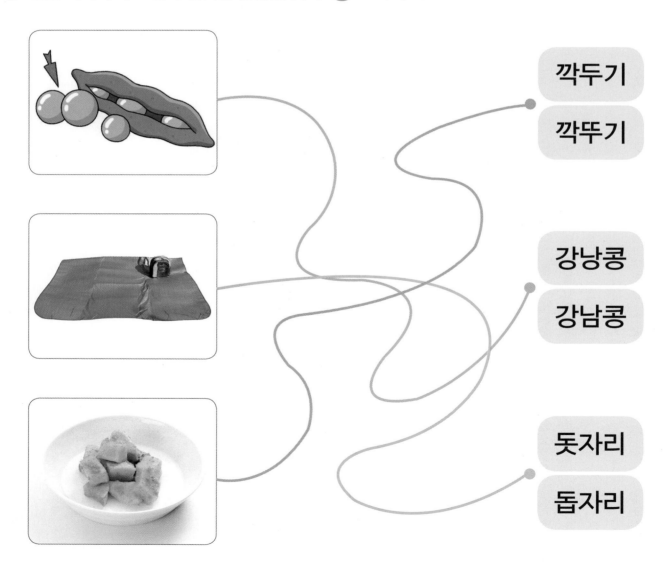

깍두기

깍뚜기

강낭콩

강남콩

돗자리

돕자리

⭐ 밑줄 그은 낱말이 바른 것에 ◯표 하세요.

공을 **주어** 와요.

물을 **따뜨치** 데워요.

음식을 **알맞은** 그릇에 담아요.

바뀌다 / 사귀다

맞춤법 익히기

📖 **뜻**을 익혀요!

학년이 **바 꿔 다**.　　달라지다.

친구를 **사 귀 다**.　　친하게 지내다.

'바뀌다'와 '사귀다'는 소리 나는 대로 '바끼다', '사기다'라고 쓰는 경우가 있어요. 모음자 'ㅟ'의 쓰임을 생각하며 바르게 써요.

4
주

◆ 다음 그림과 문장을 보고, 소리 내어 읽은 후 글자를 따라 쓰세요.

신호를 잘 보고 건너야 해.

신호가 파란불로 **바 뀌 다**.

안녕하세요.　반가워요.

이웃과 **사 귀 다**.

가까워 / 주워

📖 뜻을 익혀요!

우리 집은 여기에서 **가 까 워**. 거리가 짧아.

쓰레기를 **주 워** 버리자. 떨어진 것을 집어.

'가까워'와 '주워'는 '가까와', '주어'라고 잘못 쓰는 경우가 있어요.
모음자 'ㅝ'의 쓰임을 생각하며 바르게 써요.

4
주

◆ 다음 그림과 문장을 보고, 소리 내어 읽은 후 글자를 따라 쓰세요.

학교는 도서관과 가 까 워.

 떨어뜨린 열쇠를
주워 줄게.

주워 줄래?

연필을 주 워 주겠니?

1 그림을 보고 바른 낱말에 ◯표 하고, 빈칸에 쓰세요.

❶

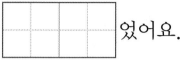

계절이 봄으로 ☐☐ 었어요.

❷

새로운 친구를 ☐☐ 었어요.

❸

공원이 ☐☐☐ 서 좋아요.

2 밑줄 그은 낱말을 바르게 고쳐 쓰세요.

❶ 산에서 밤을 **주어** 왔어요.

→ ☐☐

❷ 친구와 연필이 **바뀌**었어요.

→ ☐☐☐

◉ 아기 돼지 삼 형제가 벽돌집을 찾아갈 수 있도록 바르게 쓴 낱말에 ◯표 하고 길을 그려 주세요.

돗자리 / 강낭콩

맞춤법 익히기

📖 **뜻**을 익혀요!

| 돗 | 자 | 리 |를 펴다.

바닥에 까는 물건.

| 강 | 낭 | 콩 |을 심다.

콩 식물의 열매.

'돗자리'와 '강낭콩'은 '돋자리', '강남콩' 이라고 잘못 쓰는 경우가 있어요.
받침이 틀리지 않도록 주의해서 써요.

**4
주**

◆ 다음 그림과 문장을 보고, 소리 내어 읽은 후 글자를 따라 쓰세요.

| 돗 | 자 | 리 |에 앉다.

우리는 강낭콩이야!

| 강 | 낭 | 콩 |에서 싹이 나다.

2일 덥석 / 깍두기

📖 **뜻**을 익혀요!

손을 | 덥 | 석 | 잡다.

갑자기 잽싸게
움켜잡거나 무는 모양.

깍 | 두 | 기 |를 담그다.

무를 썰어서 양념에
버무린 김치.

'덥석'과 '깍두기'는 '덥썩', '깍뚜기'라고 잘못 쓰는 경우가 있어요.
소리 나는 대로 쓰지 않도록 주의해요.

4주

◆ 다음 그림과 문장을 보고, 소리 내어 읽은 후 글자를 따라 쓰세요.

음, 맛있어!

빵을 | 덥 | 석 | 물다.

아이, 매워!

깍 | 두 | 기 |가 맵다.

1 그림을 보고 카드에 쓰인 낱말을 바르게 고쳐 쓰세요.

1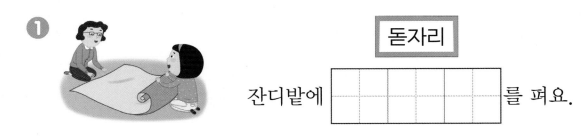

돈자리

잔디밭에 〔　　　　　〕를 펴요.

2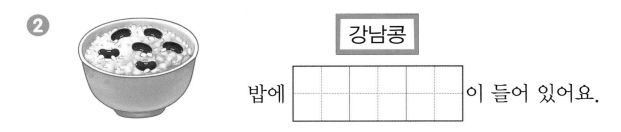

강남콩

밥에 〔　　　　　〕이 들어 있어요.

3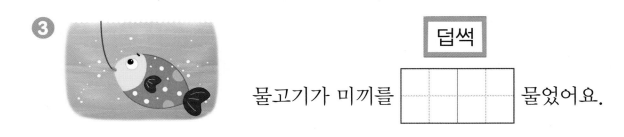

덥썩

물고기가 미끼를 〔　　〕 물었어요.

2 밑줄 그은 낱말을 바르게 고쳐 쓰세요.

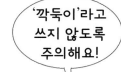

'깍둑이'라고
쓰지 않도록
주의해요!

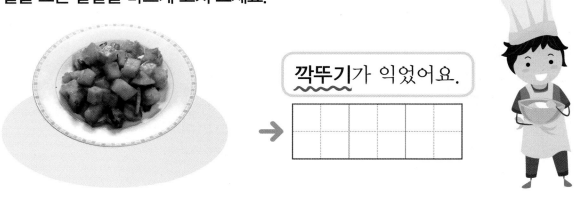

깍뚜기가 익었어요.

→ 〔　　　　〕

◑ 정답과 풀이 13쪽

◉ 시장에 왔어요. 낱말을 바르게 쓴 가게 2개를 찾아 ◯표 하세요.

알맞은 / 걸맞은

맞춤법 익히기

📖 뜻을 익혀요!

| 알 | 맞 | 은 | 답을 고르다. | 딱 들어맞아 넘치거나 모자라지 않은. |

| 걸 | 맞 | 은 | 옷을 입다. | 서로 어울리는. |

'알맞은'와 '걸맞은'을 '알맞는', '걸맞는'이라고 잘못 쓰는 경우가 있어요.
정확한 글자의 모양을 생각하며 맞춤법에 맞게 써요.

◆ 다음 그림과 문장을 보고, 소리 내어 읽은 후 글자를 따라 쓰세요.

 산책하기 　알 　맞 　은 　 날씨다.

 우리는 　걸 　맞 　은 　 짝꿍이다.

3일 껍질째 / 통째로

과일을 **껍질째** 먹다.

📖 뜻을 익혀요!
과일이나 채소의 껍질을 벗기지 않고 그대로.

채소를 **통째로** 갈다.

나누지 않은 덩어리 전부 그대로.

'껍질째'와 '통째로'는 '껍질채', '통채로'라고 잘못 쓰는 경우가 있어요.
글자의 정확한 모양을 생각하며 맞춤법에 맞게 써요.

4주

◆ 다음 그림과 문장을 보고, 소리 내어 읽은 후 글자를 따라 쓰세요.

 고구마를 껍질째 삶다.

썩은 이를 통째로 뽑아요.

 닭을 통째로 굽다.

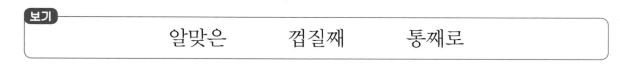
1 그림을 보고 빈칸에 알맞은 낱말을 보기 에서 찾아 쓰세요.

보기
| 알맞은 | 껍질째 | 통째로 |

❶

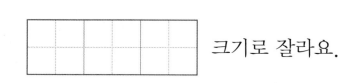 크기로 잘라요.

❷

포도를  먹어요.

❸

물고기를 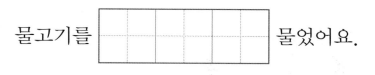 물었어요.

2 밑줄 그은 낱말을 바르게 고쳐 쓰세요.

❶ 독서상을 받기에 **걸맞는** 친구.

→

나는 책을
많이 읽어.

❷ 나무가 **통채로** 뽑혔어요.

→

◉ 사다리를 타고 내려가서 밑줄 그은 낱말을 바르게 고쳐 쓰세요.

알마즌 길이.

껍질쩨 자른 사과.

나에게 걸마즌 책.

통체로 구운 생선.

틈틈이 / 따뜻이

갖고 싶은 인형이 생겼어.

귀엽다.

용돈이 생길 때마다

고맙습니다.

틈틈이 모아 두었어.

드디어 다 모았다!

짤랑 짤랑

항상 **따뜻이** 안아 줄게.

맞춤법 익히기

📖 뜻을 익혀요!

책을 **틈 틈 이** 읽다.

여유가 있을 때마다.

햇살이 **따 뜻 이** 비치다.

알맞게 높은 온도로. / 정답고 편안하게.

'틈틈이'와 '따뜻이'는 '틈틈히', '따뜻히'라고 잘못 쓰는 경우가 있어요.
정확한 글자의 모양을 생각하며 바르게 써요.

4
주

◆ 다음 그림과 문장을 보고, 소리 내어 읽은 후 글자를 따라 쓰세요.

 저축을 하다.

'저축'은 '아껴서 모아 두는 것'이에요.

 옷을  입다.

가만히 / 솔직히

맞춤법 익히기

📖 뜻을 익혀요!

| 가 | 만 | 히 | 앉아 있다. | 움직이지 않거나 아무 말 없이. |

| 솔 | 직 | 히 | 이야기하다. | 거짓이나 숨김이 없이 바르고 곧게. |

'가만히'와 '솔직히'는 '가만이', '솔직이'라고 잘못 쓰는 경우가 있어요.
글자의 정확한 모양을 생각하며 바르게 써요.

4주

◆ 다음 그림과 문장을 보고, 소리 내어 읽은 후 글자를 따라 쓰세요.

| 가 | 만 | 히 | 눈을 감다.

새가 나무에 가만히 앉아 있어요.

제가 깨뜨렸어요.

잘못을 | 솔 | 직 | 히 | 말하다.

1 그림을 보고 바르게 쓴 낱말에 ◯표 하세요.

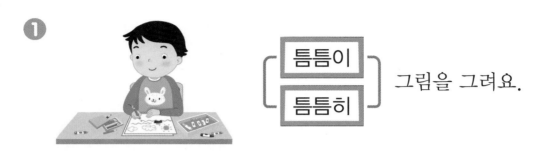

❶ 틈틈이 / 틈틈히 그림을 그려요.

❷ 일기를 솔직이 / 솔직히 써요.

2 그림을 보고 바른 낱말에 ◯표 하고, 빈칸에 쓰세요.

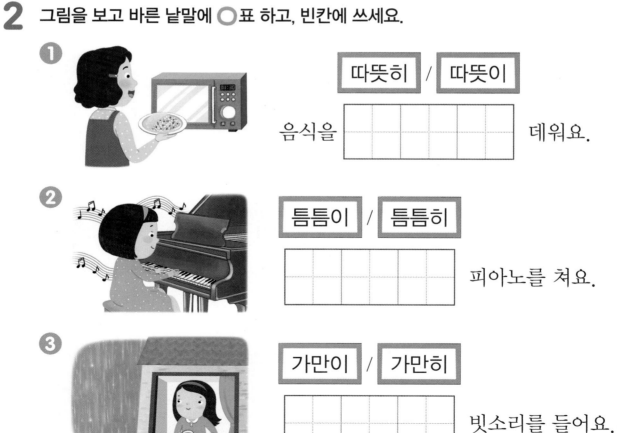

❶ 따뜻히 / 따뜻이

음식을 〔 　　　 〕 데워요.

❷ 틈틈이 / 틈틈히

〔 　　　 〕 피아노를 쳐요.

❸ 가만이 / 가만히

〔 　　　 〕 빗소리를 들어요.

밑줄 그은 낱말을 바르게 쓴 칸에 색칠해서 주전자와 컵케이크 중에서 어떤 물건이 숨어 있는지 쓰세요.

가만히 서 있어요.

솔직히 대답해요.

틈틈히 청소해요.

이불을 **따뜻이** 덮어요.

틈틈이 공부해요.

솔직이 써요.

친구를 **따뜻히** 대해요.

➡ 숨어 있는 물건은 〔 　　　 〕야.

1 그림을 보고 바르게 쓴 낱말에 ◯표 하세요.

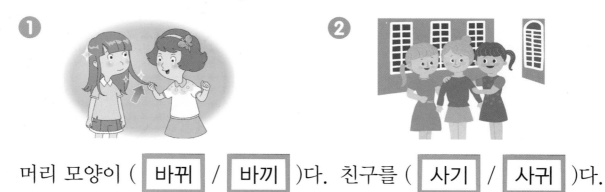

머리 모양이 (바뀌 / 바끼)다.   친구를 (사기 / 사귀)다.

2 밑줄 그은 낱말을 바르게 고쳐 쓰세요.

❶ 우리 집에서 우체국까지는 **가까와**요.

→

❷ 떨어진 캔을 **주어**요.

→

3 바르게 쓴 낱말에 ◯표 하세요.

돋자리   돗자리   돗자리

4 빈칸에 들어갈 말을 알맞게 이으세요.

❶ [　　　　] 이 잘 자랐어요. ・

❷ [　　　　] 볶음밥을 만들어 먹어요. ・

❸ 엄마가 아기를 [　　　　] 안아요. ・

・ 강남콩

・ 강낭콩

・ 깍두기

・ 깍뚜기

・ 따뜨시

・ 따뜻이

4주

5 밑줄 그은 낱말이 바른 것에는 ◯표, 틀린 것에는 ✕표 하세요.

❶ 과자를 **덥석** 집어요.
(　　　)

❷ 듣는 사람에게 **걸맞는** 노래를 불러요.
(　　　)

6 그림을 보고 바르게 쓴 낱말에 색칠하세요.

지갑이 [통째로 / 통채로] 없어졌어요.

7 그림을 보고 빈칸에 알맞은 낱말을 보기 에서 찾아 쓰세요.

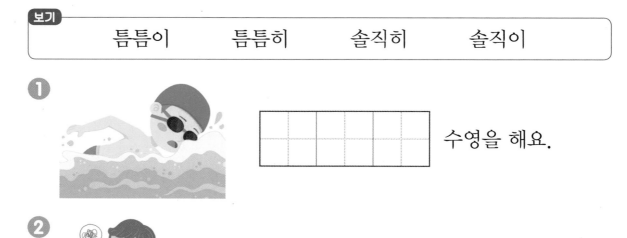

❶ [   ][   ][   ] 수영을 해요.

❷ 시험 점수를 [   ][   ][   ] 말할까?

8 바르게 쓴 낱말이 있는 색을 2개 찾아 ◯표 하세요.

감자를 **껍질채** 삶아요.

알맞은 방법으로 요리해요.

가만히 누워 생각해요.

이불을 **따뜻히** 덮어요.

 QR 받아쓰기

◆ **문장을 잘 듣고 받아쓰세요.** (정답 15쪽의 문장을 불러 주시거나 QR을 찍어 들려주세요.)

❶

❷

❸

❹

❺

❻

❼

❽

❾

❿

4주

누구나 100점 TEST

1 밑줄 그은 낱말을 바르게 고쳐 쓰세요.

날짜가 **바끼다**.

→

2 바르게 쓴 낱말이 있는 우산에 ◯표 하세요.

돗자리

강난콩

깍뚜기

3 카드에 쓰인 낱말을 바르게 고쳐 쓰세요.

알맞즌 조각을 찾아요.

↓

4 다음 그림에 알맞은 낱말을 바르게 쓴 것에 ◯표 하세요.

다람쥐가 도토리를
(주어 / 주워) 모아요.

5 밑줄 그은 낱말을 바르게 고친 것에 색칠하세요.

이웃을 **사궈다**.

→ 사기다 / 사귀다

6 바르게 쓴 낱말에 색칠하세요.

(1)

틈틈이
틈틈히

야구를 해요.

(2)

가만이
가만히

앉아 책을 읽어요.

7 그림을 보고 바르게 쓴 문장에 ○표 하세요.

(1) 꽃에 가까워요. 　　(　　)

(2) 꽃에 가까와요. 　　(　　)

8 바르게 쓴 낱말에 ○표 하세요.

 통째로

 걸맡는

 솔직이

 바끼다

9 바르게 쓴 낱말에 색칠하세요.

따뜨시

껍질째

10 다음 □ 안에 알맞은 글자를 찾아 색칠 하세요.

걸맞□ 옷차림.

는	은

2단계 A / **161**

보드 게임 퀴즈

📖 바르게 쓴 낱말에 ⭕표를 하며 말판 놀이를 해 보세요.

사과를 　　　　 먹다.

껍질쩨 / 껍질째

　　　　 공부해요.

틈틈이 / 틈틈미

손난로로 손을 　　　　 녹이다.

따뜻이 / 따뜻치

1 친구들과 현장 체험학습을 가요. 친구들의 설명대로 가면 만나는 것에 ◯표 하고 이름을 쓰세요.

오른쪽으로 3칸 움직여.

그리고 앞으로 2칸 움직여.

그다음에 왼쪽으로 1칸 움직여.

		자	리

2 동물 친구들이 편지를 보내려고 해요. 바르게 쓴 낱말이 있는 우체통에 ◯표 하세요.

강난콩

껍질째

바끼다

3 <보기> 처럼 구슬을 꿰어 문장을 만들어 보세요.

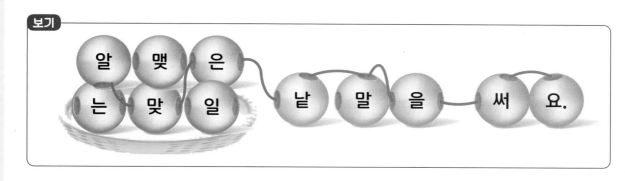

4 <보기> 처럼 주사위를 굴려서 문장을 만들어 보세요.

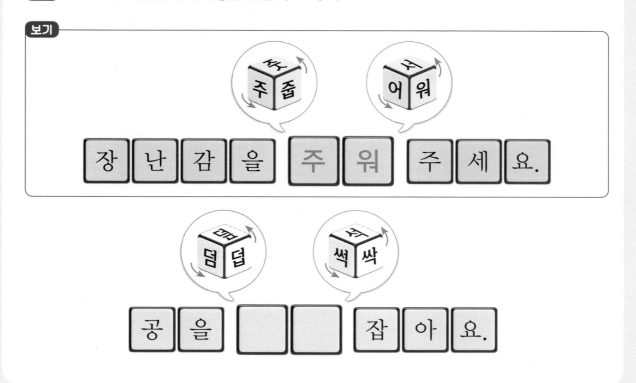

4
주

논리 탄탄

1 을 읽고, 나무에서 알맞은 글자를 찾아 낱말을 완성하세요.

뜻
> 무를 썰어서 양념에 버무린 김치.

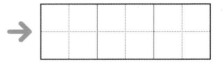

2 두더지 잡기 놀이를 하고 있어요. 틀린 낱말을 들고 있는 두더지를 찾아 X표 하고, 낱말을 바르게 고쳐 쓰세요.

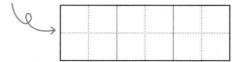

3 꿀벌이 꿀을 따러 꽃으로 갈 수 있도록 길을 그려 보세요.

규칙

1. 벌집 안에 있는 낱말이 바르면 ◯표를 따라가세요.
2. 벌집 안에 있는 낱말이 바르지 않으면 ✕표를 따라가세요.

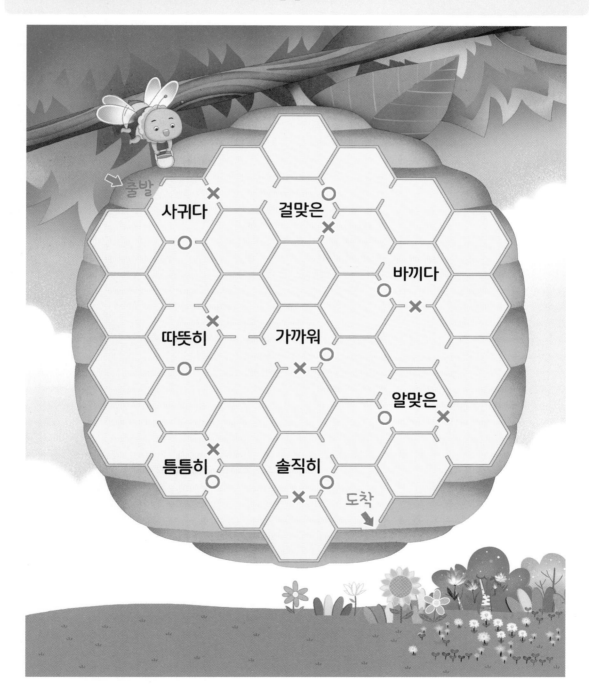

memo

10쪽

11쪽

1일 바르게 쓰기   16쪽

1 ❶ 승리 , 승리

   ❷ 정류장 , 정류장

   ❸ 종류 , 종류

2 ❶ 놀고 나서는 장난감을 정리 해요.

   ❷ 나의 장래 희망은 피아노 연주자예요.

이렇게 알려 주세요!

닮은 소리가 난다는 것은 앞 글자의 받침과 뒤 글자의 첫소리가 만나 한쪽이나 양쪽이 모두 비슷한 소리로 바뀌는 현상이에요.

재미있게 하기   17쪽

2일 바르게 쓰기   22쪽

1 ❶ 설날은 음력 1월 1일이에요.

   ❷ 삼림 에 불이 나지 않도록 해요.

   ❸ 할머니의 건강을 염려 해요.

2 ❶ 음료수   ❷ 침략

 이렇게 알려 주세요!

앞 글자의 받침 'ㅁ' 뒤에 오는 첫소리 'ㄹ'은 [ㄴ]으로 소리나요. 주로 한자어를 발음할 때 일어나므로 책에 나오는 낱말의 뜻을 알아 두는 것이 어휘력 향상에 좋아요.

재미있게 하기   23쪽

3일 **바르게 쓰기** 28쪽

1 ① 편리 , 편리
  ② 분리 , 분리
  ③ 산신령 , 산 신 령

2 ① 난 로
  ② 반 려 동 물

 이렇게 알려 주세요!

'ㄹ'의 앞에 'ㄴ'이 오면 'ㄴ'이 [ㄹ]로 바뀌어 소리 나요. 그 이유는 'ㄴ'과 'ㄹ'이 소리를 내는 곳이 같기 때문이에요. 그리고 'ㄾ'이나 'ㄿ'처럼 'ㄹ'이 들어간 겹받침 뒤에 'ㄴ'이 와도 [ㄹ]로 바뀌어 소리 나요.

재미있게 하기 29쪽

➡ 이긴 동물은 고양이 야.

4일 **바르게 쓰기** 34쪽

1 ① 칼 날 에 베지 않도록 조심해요.
  ② 신나게 물 놀 이 를 해요.
  ③ 달 나 라 로 여행을 떠나요.

2 ① 교실에서는 실 내 화 를 신어요.
  ② 줄 넘 기 를 하면 재미있어요.

 이렇게 알려 주세요!

'ㄹ'의 뒤에 'ㄴ'이 오면 'ㄴ'이 [ㄹ]로 바뀌어 소리 나요. 주로 고유어에서 나타나는 현상이지만 예외도 있답니다.

재미있게 하기 35쪽

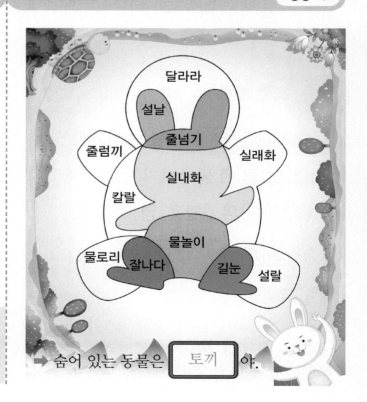

➡ 숨어 있는 동물은 토끼 야.

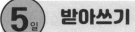

⑤일 받아쓰기　36~38쪽

1 ❶ 공룡　❷ 산신령　**2** 설날

3

4 ❶ 음뇨수(✗)　❷ 줄넘기(○)
　　→ 음료수

5 달나라, 실내화　**6** ❶ 종류　❷ 장래

7 ❶ 음력, 음력　❷ 길눈, 길눈

8

	종			승
정	류	장	정	리
나	로		칼	
리		설	날	

QR 받아쓰기　39쪽

❶ 여러 ∨ 종류의 ∨ 과일.
❷ 공룡이 ∨ 살았어요.
❸ 책상 ∨ 정리를 ∨ 해요.
❹ 음료수를 ∨ 마셔요.
❺ 침략에 ∨ 맞서요.
❻ 청소기가 ∨ 편리해요.
❼ 진료비를 ∨ 내요.
❽ 실내화를 ∨ 신어요.
❾ 깡충깡충 ∨ 줄넘기.
❿ 첨벙첨벙 ∨ 물놀이.

정답과 풀이

①주 누구나 100점 TEST　40~41쪽

1 정류장　**2** 공룡　**3** ⑴ 정니 (✗)
　　　　　　　　　　　　　　→ 정리

4 ⑴ 왕릉 ⑵ 음료수 ⑶ 반려동물

5 ⑴ 음력　⑵ 줄넘기

6 ⑴ 종류 ⑵ 침략 ⑶ 편리

7 ⑴ 칼날 ⑵ 길눈

8 ⑴ 승니 (✗) ⑵ 남루 (○)
　　→ 승리

9 물놀이　**10** ⑴ 달나라 ⑵ 분리

①주 특강　보드 게임 퀴즈　42~43쪽

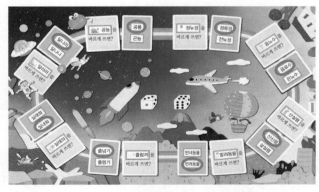

공룡 ➡ 정류장 ➡ 음료수 ➡
산신령 ➡ 반려동물 ➡ 줄넘기 ➡
실내화 ➡ 달나라

1주 특강 사고 쑥쑥 44쪽

1

염 ⤬ 날 → 칼날

신 ⤬ 려 → 염려

칼 ⤬ 라 → 신라

침 — 략 → 침략

물 통 이 → 물놀이

대 놀 령 → 대통령

45쪽

2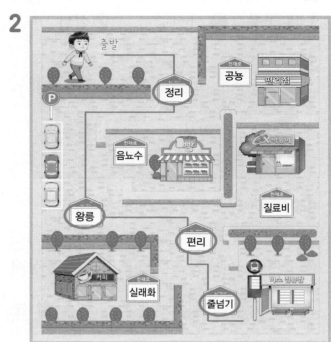

1주 특강 논리 탄탄 46쪽

1

➡ 나무꾼이 연못에 쇠도끼를 빠뜨리자
산 신 령 이 나타났어요.

47쪽

2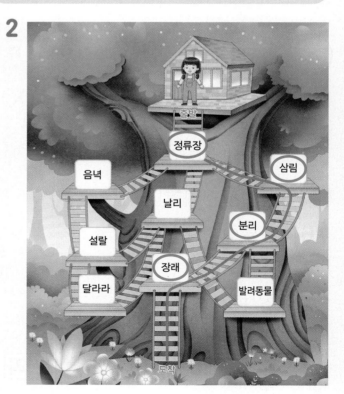

50쪽

앞마당 / 암마당 / 함박눈 / 함방눈 / 식물 / 싱물

51쪽

밥맛 / 암모습 / 방물관 / 항년

1일 **바르게 쓰기** **56**쪽

1 ❶ 밥맛 , 밥 맛

❷ 겁먹다 , 겁 먹 다

❸ 출입문 , 출 입 문

2 ❶ 밥 물   ❷ 입 맛

이렇게 알려 주세요!

받침 'ㅂ', 'ㅍ', 'ㄼ', 'ㄿ', 'ㅄ' 뒤에 첫소리 'ㄴ', 'ㅁ'이 오면 받침이 [ㅁ]으로 바뀌어 소리 나요. 이것은 앞에서 배운 [ㄴ]으로 소리 나는 것과 같은 발음 규칙이에요. 그렇지만 쓸 때에는 원래 받침을 살려서 맞춤법에 맞게 써야 한다는 것을 알려 주세요.

재미있게 하기 **57**쪽

출발 / 심만 / 십만 / 임모습 / 업무 / 입모습 / 엄무 / 밤맏 / 밥맛

2일 **바르게 쓰기** **62**쪽

1 ❶ 앞 마 당 에 나무가 있어요.

❷ 밀 짚 모 자 를 쓴 농부.

❸ 앞 문 으로 타고 뒷문으로 내려요.

2 ❶ 옆 머 리   ❷ 앞 모 습

재미있게 하기 **63**쪽

❶ 앞문 → ❷ 문 어 → ❸ 어 린이

❹ 이 야기 → ❺ 가 분 → ❻ 분 유

❼ 예 유치원

❼에는 '유'로 시작하는 낱말을 쓰면 돼요.

3일 바르게 쓰기 68쪽

1 ① 국물, 국 물 이 매워요.

  ② 목말, 아이가 목 말 을 타요.

  ③ 묵묵히, 묵 묵 히 책 정리를 해요.

2 ① 박 물 관

  ② 식 목 일

이렇게 알려 주세요!

안울림소리인 받침 'ㄱ'이 뒤에 오는 울림소리인 'ㅁ'이나 'ㄴ'을 편하게 소리 내기 위해서 'ㄱ'이 자신의 성격을 버리고 울림소리인 [ㅇ]으로 바뀌어 소리 나요. 받침 'ㄱ', 'ㄲ', 'ㄳ', 'ㄹ', 'ㅋ'은 'ㅁ'이나 'ㄴ' 앞에서 [ㅇ]으로 소리 난다는 것을 알려 주세요.

재미있게 하기 69쪽

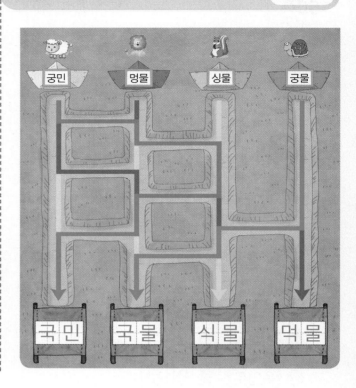

4일 바르게 쓰기 74쪽

1 ① 나는 2 학 년 이에요.

  ② 오빠들이 있고 나는 막 내 예요.

  ③ 함 박 눈 이 펑펑 내려요.

2 ① 돈이 넉 넉 해요.

  ② 작 년 보다 올해에 키가 많이 컸어요.

이렇게 알려 주세요!

닮은 소리가 나는 현상은 소리를 좀 더 쉽게 내기 위해서라는 것을 알려 주세요.

재미있게 하기 75쪽

* 길은 예시 답안 외에도 여러 가지 방법으로 그릴 수 있습니다. (낱말을 바르게 쓴 징검돌을 건너는 순서는 여러 가지가 있을 수 있습니다.)

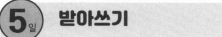
⑤일 받아쓰기　　76~78쪽

1 ❶ 식물　❷ 출입문

2 밀짚모자, 밀 짚 모 자

3 앞문, 국민, 작년

4 ❶ 입맛　❷ 앞모습

5 ❶ 묵묵히(○)　❷ 송눈썹(✕)→ 속눈썹

6 ❶ 앞 마 당　❷ 함 박 눈

7 ❶ 넉 넉 해 요　❷ 겁 먹 어 요

8

막 내
국 물
학 년

QR 받아쓰기　　79쪽

❶ 밥 맛 이 ∨ 좋 아 요 .

❷ 출 입 문 을 ∨ 닫 아 요 .

❸ 앞 마 당 과 ∨ 뒷 마 당 .

❹ 밀 짚 모 자 를 ∨ 써 요 .

❺ 나 무 는 ∨ 식 물 입 니 다 .

❻ 국 물 이 ∨ 싱 겁 다 .

❼ 대 한 민 국 ∨ 국 민 입 니 다 .

❽ 학 년 과 ∨ 반 을 ∨ 써 요 .

❾ 속 눈 썹 이 ∨ 길 어 요 .

❿ 펑 펑 ∨ 내 리 는 ∨ 함 박 눈 .

②주 누구나 100점 TEST　　80~81쪽

1 (1) 밥물　(2) 앞문

2 (3) 우유갑의 옆면을 살펴보세요. (○)

3 ㄱ　　**4** 속눈썹　　**5** 식 목 일

6 넉넉해요　**7** 옆머리

8 (1) 무서운 영화 장면에 겁먹어요. (○)

9 직녀 , 견우와 직 녀

10 (1) 식 물　(2) 입 모 습

②주 특강　보드 게임 퀴즈　　82~83쪽

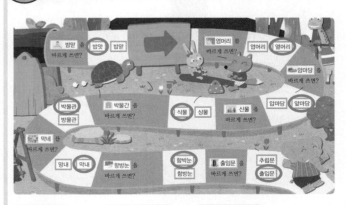

밥맛 ➡ 옆머리 ➡ 앞마당 ➡

식물 ➡ 박물관 ➡ 막내

함박눈 ➡ 출입문

2주 특강 사고 쑥쑥 84쪽

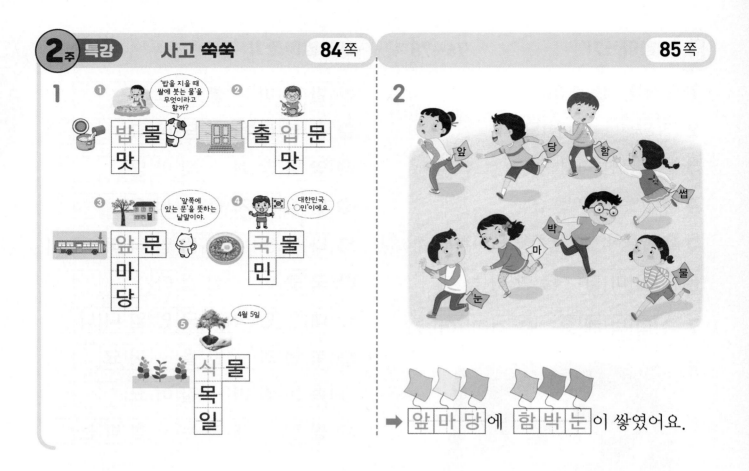

1

① '밥을 지을 때 쌀에 붓는 물'을 무엇이라고 할까?
밥물맛 → 밥물 / 맛

② 출입문맛 → 출입문 / 맛

③ '앞쪽에 있는 문'을 뜻하는 낱말이야.
앞문 / 마당

④ 대한민국 ○민'이에요.
국물 / 민

⑤ 4월 5일
식물 / 목일

85쪽

2

앞 당 함 썹 박 마 눈 물

→ 앞마당에 함박눈이 쌓였어요.

2주 특강 논리 탄탄 86쪽

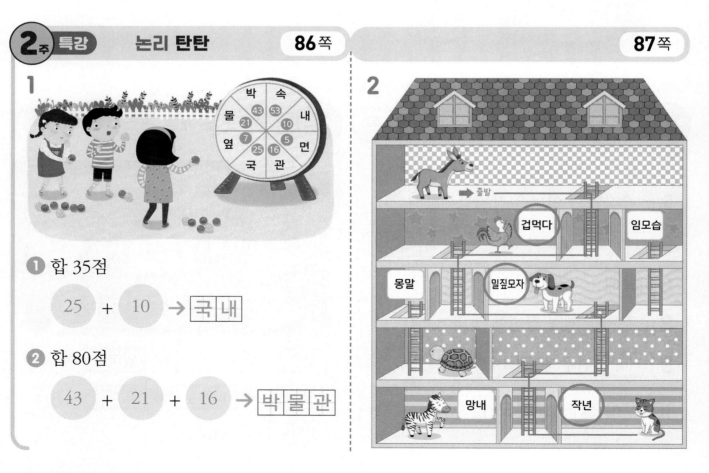

1

박 속 물 43 53 내 21 10 옆 7 5 면 25 16 국 관

① 합 35점

25 + 10 → 국 내

② 합 80점

43 + 21 + 16 → 박 물 관

87쪽

2

출발 →
겁먹다 임모습
몽말 밀짚모자
망내 작년

90쪽

ㅍ ㅣ ㄹ ㅇ ㅜ ㅍ	⇨	풀 잎
ㅊ ㅏ ㅅ ㅈ ㅏ ㄴ	⇨	찻 잔
ㅊ ㅜ ㅅ ㅂ ㅜ ㄹ	⇨	촛 불

91쪽

해돋이 　맏형 　시냇물

1일 바르게 쓰기 96쪽

1 ① 해돋이 , 해 돋 이

② 턱받이 , 턱 받 이

③ 밑이 , 밑 이

2 ① 친구와 같 이 도서관에 갔어요.

② 서랍을 샅 샅 이 뒤졌어요.

이렇게 알려 주세요!

'해돋이'는 [해도지]로 소리 나지만 받침을 그대로 살려 '해돋이'로 써야 해요.

재미있게 하기 97쪽

➡ 숨어 있는 동물은 고양이 야.

2일 바르게 쓰기 102쪽

1 ① 축하 , 축 하

② 국화 , 국 화

③ 합하다 , 합 하 다

2 ①

읽기	[꼬치다]
쓰기	꽂 히 다

②

읽기	[이팍]
쓰기	입 학

이렇게 알려 주세요!

받침 'ㄱ', 'ㄷ', 'ㅂ', 'ㅈ'이 첫소리 'ㅎ'을 만나면 각각 [ㅋ], [ㅌ], [ㅍ], [ㅊ]으로 소리 나요.

재미있게 하기 103쪽

3일 바르게 쓰기 · 108쪽

1
① 풀잎 , 풀 잎
② 색연필 , 색 연 필
③ 한여름 , 한 여 름

2
① 알 약 은 먹기가 힘들어요.
② 담 요 를 덮어 주었어요.

이렇게 알려 주세요!

두 낱말이 합쳐져 하나의 낱말이 될 때 앞 글자의 받침이 있고, 뒤 글자의 첫소리가 'ㅣ', 'ㅑ', 'ㅕ', 'ㅛ', 'ㅠ'이면 [ㄴ] 소리나 [ㄹ] 소리가 덧나요. 여러 가지 낱말을 읽고 써 보면서 익힐 수 있도록 하는 것이 좋아요.

재미있게 하기 · 109쪽

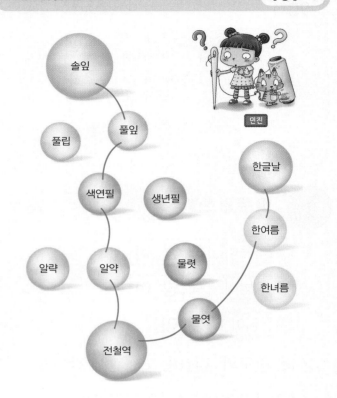

4일 바르게 쓰기 · 114쪽

1
① 시냇물 , 시 냇 물
② 콧구멍 , 콧 구 멍
③ 빗방울 , 빗 방 울

2
① 잇 + 몸 → 잇 몸
② 뒷 + 다리 → 뒷 다 리

이렇게 알려 주세요!

두 낱말이 합쳐져 하나의 낱말이 될 때 낱말 사이에 받침 'ㅅ'이 들어가는 경우가 있어요. 이때는 쓸 때에도 'ㅅ'을 살려 써야 해요. 여러 가지 낱말을 읽고 써 보면서 익히도록 해요.

재미있게 하기 · 115쪽

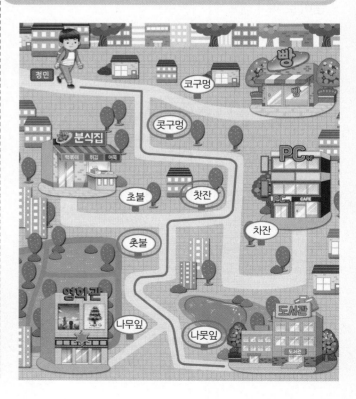

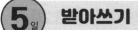
5일 받아쓰기 116~118쪽

1 ① 같이 ② 입학 ③ 나뭇잎

2 ① 풀잎에 이슬이 맺혔어요. (○)

3 1그루 4 스티커를 붙이다.

5 ① 꽂히다 ② 뒷다리

6 담요

7 촛불 콧구멍 시냇물

8 ① 끝이, 끝 이 ② 뒷문, 뒷 문
③ 해돋이, 해 돋 이

QR 받아쓰기 119쪽

❶ 동생과 ∨ 같이 ∨ 놀아요.
❷ 우표를 ∨ 붙이다.
❸ 국화가 ∨ 피었어요.
❹ 학교에 ∨ 입학했어요.
❺ 한여름은 ∨ 더워요.
❻ 색연필로 ∨ 색칠해요.
❼ 풀잎이 ∨ 흔들려요.
❽ 촛불을 ∨ 켜요.
❾ 비눗방울을 ∨ 불어요.
❿ 시냇물이 ∨ 흘러요.

3주 누구나 100점 TEST 120~121쪽

1 (1) 색연필 (2) 비눗방울 2 나뭇잎

3 꽂히다, 알약 4 같 이

5 (1) 시냇물 (2) 축하 (3) 촛불

6 (1) 한여름에 놀러 가요. (○)

7 뒷문

8 (1) 전철력에서 친구를 기다려요. (✗)
→ 전철역
(2) 찻잔에 차를 따라 마셔요. (○)

9 (1) ㅅ (2) ㄷ

10 잇몸

3주 특강 보드 게임 퀴즈 122~123쪽

턱받이 ➡ 같이 ➡ 축하 ➡ 입학
➡ 색연필 ➡ 알약 ➡ 나뭇잎

3주 특강 사고 쑥쑥 124쪽

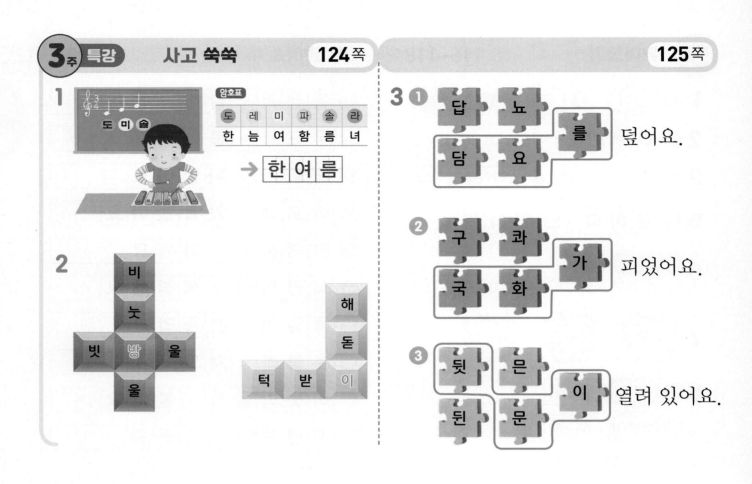

3주 특강 논리 탄탄 126쪽

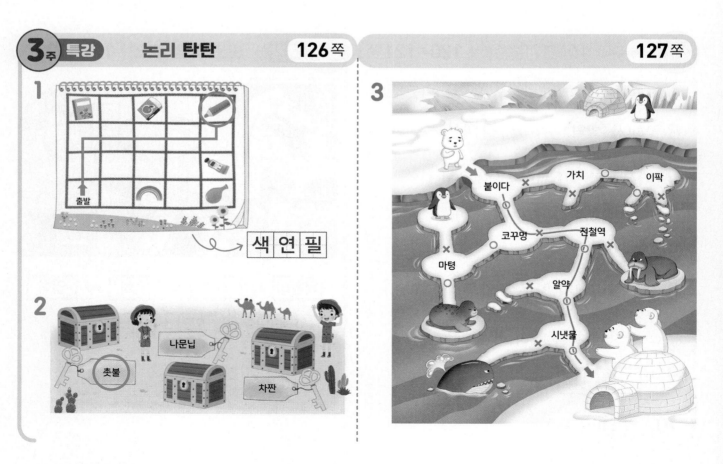

정답과 풀이

130쪽

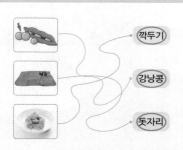

깍두기
강낭콩
돗자리

131쪽

음식을 **알맞은** 그릇에 담아요.

1일 바르게 쓰기　136쪽

1 ❶ 바뀌 , 바 뀌
　❷ 사귀 , 사 귀
　❸ 가까워 , 가 까 워

2 ❶ 산에서 밤을 주 워 왔어요.
　❷ 친구와 연필이 바 뀌 었어요.

이렇게 알려 주세요!

'바뀌다'와 '사귀다'를 쓸 때 '바끼다'나 '사기다'와 같이 소리 나는 대로 쓰지 않도록 지도해 주세요.

재미있게 하기　137쪽

2일 바르게 쓰기　142쪽

1 ❶ 잔디밭에 돗 자 리 를 펴요.
　❷ 밥에 강 낭 콩 이 들어 있어요.
　❸ 물고기가 미끼를 덥 석 물었어요.

2 깍 두 기 가 익었어요.

이렇게 알려 주세요!

'돗자리'와 '강낭콩'을 쓸 때 받침을 잘못 쓰지 않도록 지도해 주세요. '덥석'과 '깍두기'를 쓸 때에도 '덥썩', '깍뚜기'와 같이 소리 나는 대로 쓰지 않도록 지도해 주세요.

재미있게 하기　143쪽

3일 **바르게 쓰기** `148`쪽

1 ❶ 알맞은 크기로 잘라요.

❷ 포도를 껍질째 먹어요.

❸ 물고기를 통째로 물었어요.

2 ❶ 독서상을 받기에 걸맞은 친구.

❷ 나무가 통째로 뽑혔어요.

 이렇게 알려 주세요!

'알맞은'과 '걸맞은'을 쓸 때 '알맞는'이나 '걸맞는'과 같이 맞춤법이 맞지 않게 쓰는 경우가 많아요. '껍질째'와 '통째로'를 쓸 때 '껍질채', '통채로' 등으로 잘못 쓰기도 해요. 아이가 맞춤법에 맞는 올바른 낱말을 쓸 수 있도록 지도해 주세요.

재미있게 하기 `149`쪽

4일 **바르게 쓰기** `154`쪽

1 ❶ 틈틈이

❷ 솔직히

2 ❶ 따뜻이, 따뜻이

❷ 틈틈이, 틈틈이

❸ 가만히, 가만히

이렇게 알려 주세요!

'가만히' 와 '솔직히'는 낱말의 끝부분이 '-히'로 끝나요. '틈틈이'와 '따뜻이'는 낱말의 끝부분이 '-이'로 끝나요. 낱말을 쓸 때 맞춤법을 혼동하여 잘못 쓰지 않도록 바르게 지도해 주세요.

재미있게 하기 `155`쪽

➡ 숨어 있는 물건은 컵케이크 야.

5일 받아쓰기 156~158쪽

1 ① 바뀌 ② 사귀

2 ① 가까워 ② 주워

3 돗자리

4 ① 강낭콩 ② 깍두기 ③ 따뜻이

5 ① 과자를 덥석 집어요. (○)
  ② 듣는 사람에게 걸맞는 노래를 불러요. (✗)
  → 걸맞은

6 통째로

7 ① 틈틈이 ② 솔직히

8  알맞은 방법으로 요리해요. 가만히 누워 생각해요.

QR 받아쓰기 159쪽

① 수업∨시간이∨바뀌다.
② 조개껍질을∨주워요.
③ 알맞은∨낱말을∨써요.
④ 자두를∨껍질째∨먹다.
⑤ 돗자리를∨챙겨요.
⑥ 아삭아삭한∨깍두기.
⑦ 동글동글한∨강낭콩.
⑧ 식빵을∨통째로∨굽다.
⑨ 틈틈이∨물을∨마셔요.
⑩ 손을∨따뜻이∨감싸요.

정답과 풀이

4주 누구나 100점 TEST 160~161쪽

1 날짜가 바뀌다.

2 돗자리 / 강낭콩 / 깍뚜기

3 알맞은 조각을 찾아요.

4 주워   5 사귀다

6 (1) 틈틈이 (2) 가만히

7 (1) 꽃에 가까워요. (○)

8 통째로

9 껍질째 10 은

4주 특강 보드 게임 퀴즈 162~163쪽

바뀌다 ➡ 가까워 ➡ 주워 ➡ 알맞은
➡ 껍질째 ➡ 틈틈이 ➡ 따뜻이

4주 특강 사고 쑥쑥 164쪽

1 돗자리

2 강난콩 / 껍질째 / 바끼다

165쪽

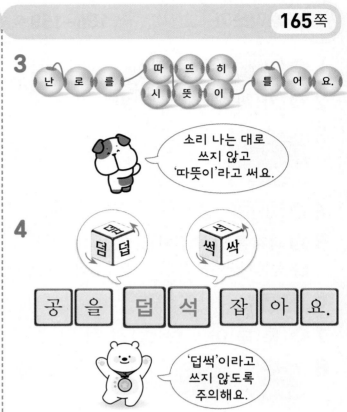

3 난로를 따뜨히 / 시뜻이 틀어요.

소리 나는 대로 쓰지 않고 '따뜻이'라고 써요.

4 공을 덥석 잡아요.

'덥썩'이라고 쓰지 않도록 주의해요.

4주 특강 논리 탄탄 166쪽

1 뚝 각 / 깍 기 깎 / 깍 두 → 깍두기

2 가만이 / 알맞은 / 주워 / 통째로 → 가만히

167쪽

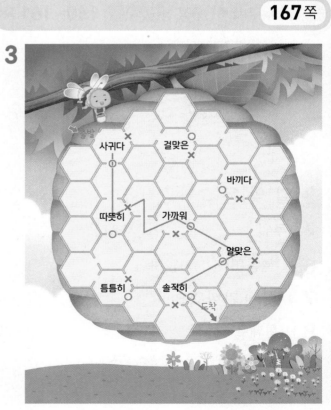

3